義経新含状

よしつねしんふくみじょう

義太夫節浄瑠璃未翻刻作品集成 77

義太夫節正本刊行会 編

玉川大学出版部

表紙図版　義太夫節浄瑠璃全盛期の竹本座と豊竹座
（早稲田大学演劇博物館蔵『竹豊故事』より）

刊行にあたって

浄瑠璃が板本として出版され始めてから、ほぼ四百年の時が経つ。その間に刊行された作品は千数百点にも達するであろう。わが国の代表的劇作家近松門左衛門の極く初期の作品を以て、古浄瑠璃と当流（新）浄瑠璃とに二分するのが浄瑠璃史の定説であるが、古浄瑠璃時代の作品（約五百点）は全てといってよいほど活字化されている。当流浄瑠璃となると、近松を初め、紀海音、錦文流、西沢一風、福内鬼外、菅専助の六作者に関してはそれぞれ全集が刊行されているが、それ以外の作者のものは文学全集等に収められた名作と称されるものに限られている。活字化された作品が極めて少ないのが現状である。

近代になると明治維新以前の書物が活字化されることとなる。この潮流の中に浄瑠璃名作も含まれ、その数は少なくない。だが名作の重複といわざるをえない。

近世芸能の浄瑠璃は近代になっても文楽の名のもと、舞台の芸能として隆盛を続けた。大阪という一都市に限らず、全国に文楽人口は充ち満ちていたといっても過言ではない。文楽を支える人口の相当数は浄瑠璃を習得する人口とも合致した。文楽は太夫、三味線、人形の三業によって成り立つ芸能であるが、太夫と三味線だけで浄瑠璃を聞かせること、今でいう素浄瑠璃でも十分満足できる。玄人は素浄瑠璃の会を開催する。素人もまた己の芸を披露することを試みる。これは浄瑠璃が音曲として勝れた表現技法を会得していることによるが、さらにいえば語られる内容が聴く者の心を揺り動かすためである。言葉を替えていえば文学としての鑑賞にも十分耐え得る内容を浄瑠璃が備えているということであろう。
浄瑠璃が語られ始めてさほど時を経ぬ時代から、文学として享受された記録は、全国各地に拾うことが出来る。何故か。手短にいおう。浄瑠璃は近世庶民の倫理観、人生観を構築していく上で必読書であった。それ故に近代の出版物に多く含まれたのである。

近世から近代まで、わが国の一般庶民に愛好された浄瑠璃、そこで展開された思想は、血肉となって伝えられたといってもよい。現代は如何であろうか。断絶があるという外はない。理由は浄瑠璃との接触の機が非常に薄くなったためである。この不幸な状況を打破すべく、私どもは義太夫節正本刊行会を平成十年に組織して活動を始めた。未翻刻作品を世に送り出し、あわせて戦前に翻刻があるものの手に入りにくく、今や未翻刻と同様の作品も対象とすることとした。

先に述べた古浄瑠璃の作品や浄瑠璃作者の全集は学術出版の形をとったが、ここに提供する「集成」は、誰もが一度は手にとらねばならなかった小・中学校の教科書を意識した造本にした。近代日本における個性あふれる教育機関として知られる玉川大学の出版部において、この「集成」が世に出ることも、何かの巡り合わせではなかろうか。このことは会員一同の喜びでもあり、今は読者の一人でも多からんことを祈る気持ちである。

右は第一期刊行時の趣意に多少の手を加えたもので、今も当初の意識を持続している。

第二期に至り賛同した数人の若い研究者の参加を得、第三期以降は更に賛同者を増加した。刊行会の発展の上でも心強く、学問の継承の上でも、大変喜ばしいことである。

＊

ここまでが、第七期の刊行決定直後に、ご他界なさった鳥越文蔵先生のご執筆によるものである。

今回も、「集成」の続刊を準備する間に、日本学術振興会から令和四年度・五年度科学研究費補助金及び令和六年度学術研究助成基金助成金の交付を受け、浄瑠璃正本の調査、デジタル・アーカイブ拡充に向けてのデータ作成を進めることができた。さらに日本学術振興会令和六年度科学研究費補助金研究成果公開促進費の助成にも恵まれたので、引き続き玉川大学出版部により「義太夫節浄瑠璃未翻刻作品集成」第八期として、十一作を刊行する運びとなった次第である。

なお、第八期の原稿作成最中の令和四年に、正本刊行会において長くご指導くださった内山美樹子先生が逝去された。先生からは「集成」の収載作品として、戦後数十年間に刊行された文学全集等に収載された作品も近年では入手しにくくなってきたことを鑑み、それらに収載された翻刻作品も改めて取り上げるべきとの方針をお示しいただいた。本研究会はその方針にのっとり、今期以降作品を選定していくこととした。

終わりにこの「集成」刊行にあたって底本を提供してくださった、大倉集古館、国立劇場、松竹大谷図書館、天理大学附属天理図書館、東京都立中央図書館加賀文庫、文楽協会豊竹山城少掾文庫、早稲田大学演劇博物館、諸本の閲覧を許された所蔵者・機関各位に篤く御礼を申し上げる。

令和六年　六月

義太夫節正本刊行会

目次

凡　例

一、底本　出来得る限り初板初摺の七行本を用いた。

一、作品名　内題によった。

一、校訂方針　底本を忠実に翻刻することを原則としたが、次のような校訂を施した。

1　丁付　丁移りの箇所は本文中に「（　）」を施し、その中に実丁数を洋数字で示し、表「オ」、裏「ウ」の略号を付した。

2　文字　①平仮名、片仮名とも現行の字体を用いた。

②常用漢字表、人名漢字表に収録されているものはその字体を使用することを原則とした。ただし、一部底本の表記に従って複数の字体を使用したものもある。

（例）回／廻　食／喰　杯／盃　竜／龍　涙／涕　婿／壻／聟

③特殊な略体・草体・合字などは表記を改めた。

（例）［草体］→様　［草体］→部（ただし夕［草体］→夕べ）　［草体］→候　［草体］→郎

［草体］→参らせ候　［草体］→給　［草体］→也　［合字］→こと　［草体］→こゑ

→より　→かしく　→まゐる　→さま

④踊字は、原則として平仮名は「ゝ」、片仮名は「ヽ」、漢字「々」に統一した。ただし「〲」は底本のままとした。

⑤仮名遣い、清濁、誤字、衍字は底本のとおりとした。

⑥＊は原本の「ママ」の意であるが、極力付さないこととした。

3　譜　墨譜は全て省略したが、文字譜は全て採用し、本文行の右、または振り仮名の右の適切と思われる位置に付した。

4　太夫　語る太夫を指定した略号は、それを「□」で囲い、文字譜の位置に付した。

5　句点　「。」で統一した。

6　破損　底本が破損などにより判読不能の場合は、同板の他本により補ったが、一々断ることはしなかった。

7　改行　本文は曲節等を配慮して適宜改行した。

一、解題　底本の書誌、番付・絵尽の有無（『義太夫年表　近世篇』に依拠）、初演年・劇場、主要登場人物、梗概で構成し、補記として校異本に触れることもある。

義経新含状

義経新含状

序詞 兄弟(けいてい)は是手足(しゆそく)のごとく。垣(かき)を隔(へだ)てゝ諍(あらそ)へ共。外カあなどりを防(ふせく)といへり。夫婦の中は花衣色そめかへて新(あらた)にす。連(つらな)る枝の離(はな)れなば元トの根ざしを得かたしと。筆にいはせておしへ置虜(こむ)無大イ道の源ト氏。頼朝公の漂平(ひやうへい)こそ。武将の大度(と)と。仰なれ。

地中 比は文治の春の空。何か評定(ひやうじやう)有べきとて。御黒(くろ)書院に出給へば。在鎌倉の諸大名残らす伺公(しこう)ある所に。

（1オ）畠山重忠は所労(しよらう)の痛(いた)はり力なく。羽翼(うよく)の臣本田ノ次郎近経(ちかつね)。陪臣(ばい)なれ共思慮(しりよ)有男。君の思へも目出度ゆへ御前。間近く相詰る。

将軍仰出さるゝは。扨も弟九郎義経。淫酒(いんしゅ)の二つに其身を忘れ奢(おごり)に長ずるのみならす。謀叛(むほん)の企(くはだて)致すよし先キ達て聞及べり。事大事にならざる内はやく討手を差登(さしのぼ)し。然るべしとぞ御諚(ごちゃう)有。伺公(しこう)の大名誰(たれ)有ッて詞を出す人もなきに。本田の次郎すゝみ出。諸歴々(しょれきく)を差置下郎の某。言上恐れ多く候へ共。義経公の叛逆(ほんぎゃく)世上の取沙汰(さた)計リにて未タ実否(じつぷ)も知レざるに。軍勢(ぐんぜい)をさし（1ウ）のぼされば君の麁忽(そこつ)と世の嘲(あざけ)り。

一応(おう)も再応(さい)も虚実(きよじつ)を糺(たゞ)され下さるべしと。いひも果ぬにお次より。梶原が郎等番場の忠太我は顔にてしらすに出。陪者(またもの)の分ンとしてこしやく成念(ねん)に念。拙者が縁類錦(ゑんるいにしきど)戸の太郎伊達(だて)ノ次郎といふ兄弟。義経に傍近き出頭委細は彼が書翰にて。天下を奪ん下心に紛れなきとの内通。疑ふには及ばすと顔を赤めてせりあふ所へ。

都堀川の御所より御使者有と知ラせの侍。跡につゞゐて立出るは。鎌田が後家の貞松尼。次信が母佐藤の局。権の頭兼房いつれも六十にあまれる老人。（2オ）判官殿よりお使と頼朝公へお目見へは。尾をふむ心地虎の間の。広びさしにぞ畏る。

大将面を和らげ給ひ。遙々下りし義経が三使。何等の用事か覚束なし。口上の趣き逐一ッに相のべよと。仰に三人頭をさげ。主人義経我々を差下し候段別義にも候はず。御連枝の中何となく。近年はたゞ御疎意がましく見ゆるに付。事を含るいたづら者虚説を構いろ〳〵と讒言を致すよし。万一お耳へ達しなば御機嫌の程いぶかしく。虚名を申ひらかん為参ン着致し候と。謹で述ければ。

頼朝公はさしうつむき態有無の返答も。諸士に預ヶてましまさねば。是ぞ義経の心をさぐる手懸リと。本田の次郎膝（2ウ）立なをしゑせ笑。何れもの仰のごとく下々の囀事取上いふにはあらね共。やうしん四智のいましめを憚り給はぬ義経公。此頃の御振廻不審なき共申されす心得がたき一通リ尋ね申さん云訳有レ。此度御家来武蔵坊を始其外の御家臣。南都東大寺大仏供養に事よせ。似せ山伏と成関所を偽り通りし事。義経御存じなかるべきか。取訳とがしの関所にて弁慶が読上し勧(くはんじん)進帳の願(ぐはん)文に。諸人の助力を頼ンで。功徳(くどく)を本朝にあらはさんと。是頼朝の二字を別。中カへ文字を切リ入レしは我君をほろぼし。義経公の御威勢(ゐせい)を。本朝に顕はさんとの工ミの詞にあらざるや。扨又諸方の浪人者。忍び〳〵に堀川へ（3オ）召集め給ふよし謀反(むほん)の企ならずして。地ウ 今更新規(しんき)の御家来を抱(かゝ)へ給ふ其子細。フシ 承はらんと難(なん)すれば。

地色ハル 兼房ためらふ気色もなく ウ 一々 中 申開くべしと。ウ 二人の ハル 老女を押退(おしのけ)て 色 つつと出。詞 武蔵坊を先キとして御傍(そば)に仕へし御家来。山ぶしの姿と成奥州へ下リし事御咎(とがめ)は至極(しごく)ながら。先達て彼者共は義経公の不興(けう)を蒙(かうふ)り。逐(ちく)転(てん)致せしやからなれば。勧進帳の願ン文にあやしき詞候も是以ッて存せぬ事。扨又諸国の浪人者忍び〳〵に堀川へ参る事少シも招(まね)き寄スるに有ラず。先年八島一チの谷所々の軍サに我君の恩扈(おんこ)に預る武士共。尋ね登れは是非もなく。地ウ 此段宜敷言上あり（3ウ）ハル 御疑イの晴(はる)ゝ様頼上奉ると。ウ 流るゝ水のよどみなく。フシ 断リ立て申スにぞ。

頼朝公打點せ給ひ。ヲ、口がしこき兼房が一言。聞入べきにはあらね共。たとへ義経都にて反逆をおこさば起せ。我為には大山の麓をせゝる蟻同然。ちつ共動ずる事なければ。今日の使を規模として罪ミをゆるし和睦せん。しかし国家の政道も猥と成。奢に礼義を忘るゝは色と酒とにおぼるゝゆへ。ほのかに聞ば錦戸の太郎。静といふ白拍子を養子となし。義経が心をうばふと聞。彼静を人質として鎌倉へ差下せよ。もしさもなくば討手を登し。都の館をふみつぶさん。胸を定メて此返答只今せよとの給へば。兼房はハット計リ。（4オ）違背せば忽チに一大事ごさんなれ。一チ期のふちん爰なんめりと取ッつ置つ思案の体。何がなさし出る番場の忠太。コリヤ権の守とやらいちの頭とやら。静めを人質にて。義経の科赦すと有ルはけつかうな御了簡。忝ひと早速にお受申筈の事。何としておそなはる横着な髭親仁とかさにかゝれど耳にもかけず。御懇志の御諚意何しにいなと申べき。仰のごとく静御前差下シ候段。畏り奉ると云ハせも果ず貞松尼。ア、是々兼房殿心へぬ早請合。家にも国にも日本にも。かへまいと思し召静御前。人質とは義経

公よもや承引なされまじ。女ながら我々も使ィの数に加はれば。なぜ相談を致されぬ（4ウ）受持顔は見
にくしと。声もするどに詈れば。
ヲ、成程三ッ使と言ながらかく大せつなる場所に成。女中の智恵に及ぶべきか。人質の義は昔より其例あ
また有事と。やり込れば佐藤の局。ヤア舌長也権の頭。其身に疑ィ有ル時は人質は扨置たいでう誓言も書習
ひ。くもらぬ主人のお心を申開きに遙々と。東へ下リし甲斐もなく静様をわたせと有。お返事は得致スまい。
ハテサ誤りに成ならば。某切ッ腹する計。御両所へ難義はかけぬ。お気遣なされなと思ひ込ンだる有様に。
お受申せば大将甚御機嫌よく。二人の女が渡さじと諍ふも。皆義経を疎略にせざるまことなれ共。権の頭
が早速に受合しは（5オ）忠義の根元。則チ本田ノ次郎近経を請取に遣すべし。同道にて都へ帰り万事汝が
心を付ケ。愚弟が補佐をよくせよと慈愛も深き御仰。御座を立せ給ひければ。コハ有難しと三拝を。二タ人
の老女はむつと顔。ハツトいらへもそこ〳〵につれて御前をたつかゆみ。矢たけ心をおしゝづめ前ン後の

首尾を兼房は。年ばへといひ分別ッの。深くも遠きもの思ひ。近経を。伴ひて。都の。空へと〽立かへる。

花は三芳野（みよしの）。紅葉は竜田（たつた）。桜は浪花（なには）と。定まれど。都上臈（らう）の風俗（ふうぞく）には。詠も。いかでまさるべき。

義経公の妾（おもいもの）静御前を慰（なぐさめ）に。うかれ出たる東山。お茶やの軒に幕打せ色香を錺（かざる）桜がり。花も己（おのれ）をかへり見る。

外珍敷（めづらしき）おく女中春に青の、草むしろ。かたしき（5ウ）ざして四方山（よも）を。見晴す中に権頭兼房が独リ娘。恋の道には鵜鷹（うたか）とて当世顔のしやれ者を。迷惑（めいわく）がらす妼共。コレ爰な横着（わうちやく）者。堀川のお館では亀井ノ六郎重清様の一か二迄に下らぬ男。夫をじつとくらがりで。慢頭（まんぢう）を喰（くふ）やうにつね〳〵とだまつてじやの。コレハしたり又わる口。尤こちからほれたゆへ。雨のふる程やる文に返じさへせぬかたいお人。めつたな事いふまいぞ。盗人たけ〴〵しいと隠（かく）さしやつてもしつてゐる。あの重清様は器量（きりやう）なら武芸（げい）ならいふ所のない大丈夫。しめ心がよいとの噂。兎角(とかく)一事が万事に当ル。君へ忠義の侍は。女房にも真実(しんじつ)なと仇(あだ)口々の其中へ。義経公の麓(ふもと)まで（6オ）お出をしらせる先キ走。

仰を請て。亀井の六郎。花のふゞきを打はらふあふきの骨もたくましき。力盛リの角前髪(すみまへかみ)。あゆみ来るをちらと見て。彼がそれそこへこちらはすいじやはづしてやる。誰レもない間に片陰ケで。水遊びは鵜鷹(うたか)殿こなたの得物じやないかいの。ちよと濡(ぬれ)さしやれと引連レて。幕(まく)のかげにぞ気を通す。

わるじやれなさつきにから。ちいさふ成ル程なぶられたも。よそ〳〵のお人ゆへと立寄レば。すつと摺抜(すりぬけ)幕のこなたに手をつ。かへ君も追付御登山。さぞ御退屈(たいくつ)なさるべし。しかし鎌倉の聞へも有レば。随分ン蜜(ひそか)に御遊興(ゆふけう)。入相の鐘(かね)待す共還御をお急。（6ウ）然るべしと申上れば。ヲヽ堅(かた)。たまさかな御遊山にくると其儘(まゝ)せはしない。モウおかへりを催促(さいそく)かゑ。そんな事いふ手間で。女房共も来てゐるかと。たつた一ト口たのみますと。取付を振リはなし。御真実(しんじつ)成数通(すつう)の書翰(しよかん)。心もつて忝し。去ながら。御親父権の頭兼房殿は。沙汰に乗たる昔人。厳格(けんかく)な御心から。此亀井を。不義者などゝ御さげしみも恥かしさに。態と御報(ほう)を致し申さず。折を見合セ媒(なかだち)を頼み。表向キより迎ィ申さん 地ウ 少シも辞退(じたい)の心底(てい)ならず。 ウ 先ッそれ迄は ハル 御用捨(ようしゃ)と。

ウ 四角四面ンな 色 切リ口上。 詞 テモ扱もく。いやてはないといふ事そふなが。少しも辞退(じたい)の用捨のと。女房に迄いんぎんな。いやてないのか（7オ）定ならば。とゝ様はわし次第。 地ウ 媒も何にも入ラぬ。頼みの印シに幕の陰。ほんくに抱付(たき)ィてと 色 手を取レば。 詞 アゝ是々。静様が見てござる。妼中も覗(のぞい)てじや。ハアテ大事ないはいの。あなた方はとふから御存し。お呵はござんせぬ。 地ハル ひらにくと摺(すり)よつて諍(あらそ)ふ内に幕しぼらせ立出給 ハルフシ ふ。 中 静御前。六郎ははつと ハル 赤面(せきめん)飛しさつて手をつけば。 ウ 鵜鷹(うたか)もどふやら気味わるくもぢ ヒロイ くとして ハル ひかへゐる。

詞 アゝコレ苦しうない重清殿。先達ッて鵜鷹のはなし折リもあらば自が媒せんと思ひし所。今日幸の新枕。兼房へは我君から。娘を亀井と女夫にせいと終一ト口おつしやつたらさらりつと埒明(らちあく)事。 地ウ 其気遣ひなら此

（7ウ）静が。手形をかいて請合じや。誰レもない間にきり〳〵はやふ。幕の内て祝言のおひもときを頼みます。ソレ鵜鷹気が付カぬ。何ンとやらしんしやくを指合(さしあひ)の出来ぬうちヱ、はがゆいと宣(のたま)へば。アレあのやうに。静様がおせはなさる丶手前も有。ちやつとごんせと手をとれば。それでも夫レが。どふかふのいやおふ云ハさず引立られ。是非なく幕へ入にけり。

物見をそつと指足(さしあし)にて。のぞいて見たりさ丶やきて。顔は上気の濃(こき)紅葉高ほあからむ折からに。大将九郎義経公。大広(ひろ)袖をたぶやかに昔(そのかみ)平の宗盛が。湯屋(ゆや)を愛(あい)せし奢(おごり)のごとく。車やどり馬とゞめ。爰よりかちの花見酒。（8オ）錦戸伊達の兄弟を御供に召具せられ。幕のこなたに立給へば。静御前歩み寄。私を先キへおこして置ィて。今朝程より待兼しに何とてお出の遅かりしぞ。御道草の隙入かと。恨み給へばほや〳〵笑。ちつとの間傍に居ねば。もふ御きげんがそこねる。シタカ道々。折知顔に咲乱レたる桜を見ても。そもじの姿と。心の花にくらべてみれば。いつかな〳〵。ナ汝らもそふは思はぬか。いか様君のおつしやる通り。自慢(じまん)致スじやなけれ共。娘が器量(きりやう)に気を呑れ。今日は花めがしほれて見ゆるナア弟。そふでないか。しほれた段か。山中の桜めらがしよげに成。みすぼら（8ウ）しうみへますと。何かな御気に入替ハり立かはりたる追従(ついしやう)は。見苦しくも又いやらしし。

おりから麓(ふもと)の方よりおふい。〳〵と女の声。誰(たれ)成ルらんと振(ふり)返れば。佐藤の局貞松(ていしやう)尼足を空にかけ来り。

堀川の御屋形へと心せく道すがら。花見の御遊(ゆう)と聞たるゆへ。すぐに是迄参りしが。一大事こそ出来たれと。息継(いきつぎ)あへぬ二タ人が面ン色。何一大事とは心へす。子細いかにと錦戸兄弟問(とひ)かくれば詞を揃(そろ)へ。此度の鎌倉下リは。義経公の御身の上誤りなき申訳(わけ)。一チ々言ン上したりしに。承引(せうゐん)の上。頼朝公の仰には。静御前を人質(じち)に渡せよとの御なんだい。我々は呑込(のみ)ず御返ン答も致さぬ内。権ノ頭兼房殿いかにもおわたし申さんと。御前にて慥の（9オ）受合。則チおそばに有合せし。重忠の郎等。本田の近経御迎ィの役を請ケ。同道にて都へ登リ。粟田(あはた)口より我々はかけぬけての御注進(ちうしん)と。いひも果(はて)ぬに人々はあきれ。果たる計也。

静御前は涙にくれナニ自ラをはる〲の鎌倉へ下すとや。君と国との為ならば。唐高麗(からかうらい)へ行とても。さら〱いとふ。心はなし。御得心もなされぬ上無体(むたい)に引わけ送ルのか何ぼでも我君に。離(はな)れて東へ下りはせぬと泣キ入給へば錦戸兄弟。是ぞ幸イ兼房を。追イしりそけんとすゝみ出。気遣すな鎌倉へは下さぬ。君しろし召れずや。さいつ比より頼朝公専(もつぱら)色を好み給ひ。女を集(あつ)め給ふと聞。静の器量(きりやう)を聞及び（9ウ）おね間の伽(とぎ)との思ひ付キ。人質に事寄セ。誠は妻になさるゝ工面(くめん)。コリヤ兼房めがたらしこまれ。まいなひの鼻(はな)ぐすりで請ケ合たに極つた。につくいやついかゞはせんと。伊達諸共に歯(は)をかみしめ。おだてかけたる讒言に。

義経甚せかせ給ひ。家国にもかへまいと。寵愛(てうあい)の静御前。兄頼朝が弁舌(べんぜつ)にのせられ。人質に渡さんとはきつくはい成ル老ぼれ。きやつも此場(ば)へ帰るは必定(ひつぢやう)。汝ら兄弟心を合せ。一番手二番手と組子を定めて生捕(いけどれ)よ。なぶり殺(ごろ)しにさいなんで不忠の臣に見せしめせんと。以の外にいからせ給ひ。静こなたへ。ふたりもこいと。二人の老女をいざな（10オ）ひてお茶やの内へ入給ふ。

兄弟そろ〳〵身拵へ。数多の家来を捕手の手くばり。アレ〳〵向ふの人声は兼房めと覚へたり。去リながら。年寄でも大体のやつならす油断せば仕損ぜん。アノ。岩かげに隠レゐて。やりすごし縄かけん必ぬかるな合点と。うなづき合て大勢はこかげに〳〵忍びゐたりけり。

佞者は賢者に似るとかや。錦戸兄弟に迷はされ。義経の不行跡鎌倉のいかり強く。去ルに依て家中で一チの権の頭兼房を。鎌倉へ下されしに只今帰国の帰りがけ。是も花見を聞付ケて麓に本田を待せ置キ。其身は直にあゆみくる。

折リよしとやり過し後より雑人原。（10ウ）取ッたとじつてい振リ上れば。ひつぱづしてきゝ腕取。シヤ慮外成下郎めと。二三間投退れば。残るやつばらさはぎ立。番手の手訳もこつちやに成。一度にかゝるを事共せず。かたはし抓んでゐのころ投命から〴〵岩角に。すてつぺいをうちわられ朱ケに成ッて逃るも有。胸骨おられて引も有。錦戸兄弟舌ふるひ麓をさして逃ヶにけり。
いづく迄もと追かくるを待ッた〳〵と声をかけ。亀井ノ六郎股立(もゝ)チ取すゝみ出。ヤア兼房。科(とが)は心に覚あら
ん。上意を請ヶて縄かくる。異変(ゐへん)あらば首にして。御前へ伴ふ覚悟(かくご)召れ。ナニ某をめんはくせんとやムウ
面白し〳〵（11オ）やみ〳〵縄はかゝるまじ。イサこいやつと我強(がつよ)き老人。するりと抜(ぬい)て待チかくれば。
ぜひなく亀井もぬき合せ。秘術(ひじゅつ)を尽(つく)す若手の働き。権ノ頭も古兵陽(やう)にひらき陰(ゐん)にとぢふたりがおとらず
〽戦ィけり。
はるかに見るより鵜鷹がかけ寄ノウ是待ッてと留メてもとまらぬ太刀さばき。せんぽうつきてお茶やのしや
うじ。引はづしてふたりが中。身を捨(すて)おもしとこけかゝり。ノフ待給へ我つま父上も聞入て。いふ事いは
して下さんせと嘆くを兼房聞咎。ムウこゝろへぬ娘が一言。我夫(つま)とは誰レが事。サアいひたいとは其訳。
常々お前の目を忍ヒ（11ウ）六郎様を恋こがれ。文玉章(づさ)で契(ちぎ)りしに。今日といふ今日。静様の御媒(なかだち)にて夫

婦の盃。スリヤ重清と女夫に成ッたか。ホ、御免しもなき内にさげしみも恥しながら。静御前の仰にて力なく縁を結ぶ。然るに我君拙者を招き。其元に縄をかけ。引立こよとの御怒り。縁有レば猶用捨ならず。只今の仕合セと。断リ聞て兼房は。何思ひけん抜たる刀。すぐに弓手の脇腹へくつと突込ミ引キ廻す。ナフ情ケなや何事と。娘は取付キ半狂乱。六郎も驚きながら。コハ何ゆへの御生害。縁ンくまれし事。不足にばし有ッての事かと。尋れば色も変せず。(12オ)七十近き今日迄。娘に聟を取兼しか。六郎を夫に持ッたは。出かした娘大きな手柄。縁有ルゆへに赦されずと。義を守ッたる今の働き。天ッ晴古今の聟を取嬉しひ余りの。切腹ぞや。引出物は忠義の一ッ句。代々源氏に仕へる。某とのにくしみ。静御前を鎌倉へ。渡さんと請合しゆへ。御咎メと覚へたり。ヌ、是非もなや御運の末。此度の鎌倉下リ。疑ひふかき頼朝のお心。人質として静を渡さば。御中和睦有べしとの御難題。いやといいは、早速に。大軍を以て責来らん。我君色に迷ひ御座ゆへ。数多の家臣が取々に。諫かねたる静御前。引わけて東へ送らば。御身も納り一つは又。親と名の付侫(ねい)人の。(12ウ)錦戸。自然とお傍を遠ざからん。彼是(かれこれ)国家の為と思ひ。扨こそ請合。もし御得心なされずば。御病気といひのばし。隙取内にしつかりと。味方の臍(ほぞ)を堅(かた)めん為とはいへ不興を請たる某。何を云も甲斐有まじ。殊に一旦武士の約束。今更何と云訳に。頼朝公へ切たる腹。此詞を能ク守り。二つ取には人質を。すゝめられよ亀井殿。頼む〳〵と今はまで。忠義を忘れぬ心の丈夫。娘は余りの悲しさに。物もゑいはずしやくり上消入。計に嘆キける。

六郎も目をしばたゝき。とても此深手にて。御存命は叶ひがたし。譲(ゆづ)り置るゝ御遺言(ゆいげん)。逐一(ちくいつ)に相心へ。宜敷計ひ申べし。御心安かれと涙ながらに老人の。心を破(やぶ)らぬ一言を。(13オ)嬉しげに打うなづき。ヲヽ重ね〳〵祝着(しうちやく)せり。此世は用なき某。聟舅の盃に御苦労ながら御介錯。聟殿頼むと合掌すれば。

アいやその儀は御意にそむく。たとへお呵うけるとて。拙者に討テとは曲もなし。然らば娘聟(おのれ)を頼む。コリヤ。是程めでたい婚礼に。なぜ泣をるぞほへなやい。苦痛(くつう)さすのは大不孝。早ふ父か首を討。ヱ、つがもない事おつしやります。なんぼ孝に成とても。勿体(もったい)ない親の首。それ計ツはゆるしてたべ。お留主の内に殿御を持。おかゑり有て御機嫌が。そこねもせんかと案ぜしに。悦び給ふが猶悲しい。しから（13ウ）れてもた丶かれても。助ケらるなら助ケてたべ。我夫やいのとふしまろびあやも涙の悔(くや)み泣。ヱ、めろ〱とほへづら。今にも本田か来りては。此兼房が犬死。泣ク事はないサア〱と。いひつ丶親子一生の。別レと思へは目に溜(たま)る。涙かくして居る内に。麓(ふもと)より来る人声は。本田が迎ひ事急也。迚(とて)もみれんな両人に介錯(かいしやく)は頼ましと。突込(つき)ム刀取直しうなじに押当(おしあて)ゑい〱声。我とおしきる覚悟(かくご)の臨終(りんじう)。首は前にぞ落てげり。娘は死骸(しがい)に抱(いだ)キ付前後。涙に取乱す。

亀井ノ六郎涙をおさへ。コリヤ〱泣ィて居ル所でなし。こなたへ来れと死骸をか丶ゑ（14オ）立上れば。女房もかひなき父の首。かきいだき涙ながらもかひ〱しく。夫マにつれ立入けるは哀レと。へ人もしられけり。

地色ハル
程なく来る本田ノ次郎。田舎(いなか)めかざる男ぶり智勇備(ちゆうそな)はるこつがらにて。ゆう〳〵と立出。幕(まく)のこなたに手をつかへ。詞 将軍の御前にて。契約有し人質静御前を渡されよ。御迎ィの為本田の次郎是迄推参(すいさん)仕る。兼房はおはせぬか。権の頭はと呼はる声。地ウ かくと伝へて幕しほらせお茶屋の内より対(つい)の六尺。静御前の乗物を。フシ 桜の木陰にかきすゆれば。

地色ウ
引つゞいて亀井の六郎礼義正しく両手をつき。詞 ムウ聞及ぶ本田殿遠路(ゑんろ)の御迎駕(こうが)（14ウ）御苦労(くらう)千万。随(したが)つて兼房かお受申せし人質。義経公にも許容(きやうよう)有ッて。お渡し申静御前。地ウ おうけ取下されとフシ 慇懃(いんぎん)に相述(のぶ)れば。

詞
ホ、早速に御得心御連枝(れんし)のなかむつまじく。御世長久のもとひぞや。地中 慮外ながら作法(さほう)の通改メの為御目見へと。立寄ッて乗物の戸を引キ明れば。静にあらで兼房が白髪(しらが)首。三方に乗セたるてい。コハそもいかにと驚キしが。ム、ウ。扨は義経得心なきゆへ。義にたくましき権ノ頭鎌倉への言訳ケに。切ッ腹せしか残念ンやか程せつ成ル志シ。無下にはいかでなすべきと戸を引立て六郎に向ひ。詞 契約(けいやく)の通リ静御前相違(さうゐ)なく請取ッたりと。思ひの外成ル挨拶に。きよつ（15オ）とせしが膝すり寄。改メられし乗リ物は静御前に違ひなきや。かへつて手前に合点参らず。

ホ、さも有ラん御尤の御尋ネ。畢竟静を渡せと有頼朝の御諚意は。御和睦の印シなくては叶ふまじとの御難題。一ト度武将の詞を立。渡されし兼房の心底。請取たれば事済だり。しかし。此事沙汰有ッて。余人にかくともれ聞へば。将軍の御諚を背く天下の政道たゝぬゆへ。又もや国家の煩ひと成。只其元と我計他にもらさぬが肝要ぞや。心へ給ふか亀井殿といふに嬉しく頭を下。成程御辺察の通。我君得心あらざるゆへ。頼朝公への申訳ケに。権ノ頭の生害。（15ウ）此趣を申上んと存ぜし所。はや細道より静を同道。還御成レば力なし此首を静にして請取給はる御了簡。何しに外へもらすへき。万事貴殿の御働キ宜しく頼み存ると勇士と勇士の詞詰。ヲ、気遣有な。鎌倉の御前は拙者にまかされよ。早お暇と目礼は互につゝむ一大事。云す語らす六郎は立別てそ入にける。

本田は亀井か忠心を深く感じて立たりしが。日も夕陽にかたむけば片時もいそぐ旅行そと。下部を呼ヒ出し乗物つらせ立帰らんとせし所へ伊達ノ次郎家来引具しどつとかけよせ。御寵愛の静御前。無体に召シ具し帰るとて帰さふか。此方へ戻せはよし異義に（16オ）及ば丶本田ノ次郎置キ土産に首を取。返答せいときめか丶れとちつ共騒かすから〲と打笑ひ。ヤア簑虫めらがほざいたり。頼朝の御諚にて請取たる人質。渡まいか何とする。ソレ物いはすな討ッてとれ畏て大勢が。つばなのほ先キと抜つれて切かくれば近経もぬき合セ従横みぢんに切リまくれは前ン後の敵にあぐみし所へ。亀井の六郎おとりいで。手頃の桜木ゑい。やつとぬくより早くかたつぱし。はらり〲となぎ廻れば。

さしもの大勢さ丶へかね。空にしられぬ雪あられ。村々ばつと逃ケちつたり。すきをうかゞひ伊達ノ次郎。家来横渕藤次を引キ連レ引かへして。コリヤ〲横渕静は爰に奪（16ウ）かへせと。主従立寄リ乗物の。戸を引キ明てコリヤどふじや。兼房めか白髪くび。ヱ、役にも立ぬ骨折損。あたいま〲しい老ほれと。土足にかけてふみちらす。後へ本田か取ッてかへし。かくと見るより大キに驚キ。それ見付たら赦されずと。

飛でかヽれば伊達ノ次郎。コハ叶はしと物をもいはす逃る向ふに。亀井の六郎顕れ出るをかいくゞり。ほう〳〵にげてうせにけり。

横渕（よこふち）は度をうしなひ。うろたへ廻るを本田の近経。ぎやつとのめらし足下にふまへ。ヱ、せひもなやモウ叶はぬ。鎌倉には梶原が家来番場の忠太といふ佞人（ねい）。錦戸兄弟に縁有やつ。きやつが見付し上（17オ）からは。静御前でなき様子。忠太が方へ内通して。鎌倉中へ取沙汰（さた）せん。さすれば最前いふごとく。二度御中不和と成。天下の騒（さは）ぎ程有ルまじ。入魂（じゆこん）も互に是迄と。にがり切たる残念（ざんねん）顔。かく迄心をつくされしに顕（あら）はるヽ上力なし。重ネて互ひの対面（たいめん）は戦場（せんじやう）にてこそ致スべけれ。ヲ、サ〳〵いふにや及ぶ。サア血祭の其下郎。御辺は頭拙者はすね。イサ〳〵お出と両人が。力に任せ両ほうへ。引ケばすつぽりほうづき首。ちぎれてむなしく失にけり。

今迄せつ成朋友(ほうゆう)も。義を見ていさむ二人の勇士(ゆうし)。うちに剣(キ)をいだけ共。表(おもて)へ出さぬ忠臣義士。立別(レ)たる有様は。増長(さうちやう)持国(こく)広目(くはうもく)天。(17ウ)毘沙(びしや)門天の忿怒(ふんぬ)の相(さう)。帝釈(たいしやく)天のあれたるいきほひ。花ふみしたくひがしやま。谷の水音ごう。〳〵降三世(ごうざんせ)。峰(みね)にひゞくはとう〳〵。どつとふきくるあらしにつれて。韋駄(いた)天走(ばし)りに立かへる末代。ふしぎのまれ者やとかんぜぬ。人こそなかりけれ。

第二

神は人の敬(うやま)ふによつて威(ゐ)をまし。人は神の徳による。近江の国栗本郡(くりもとごほり)水府神の縁(えん)日と。上下さゞめく海道に樽を枕によねんなく。浮世(うきよ)を夢(ゆめ)と呑くらし。世をへつらはぬ曲者(くせ)有(リ)。元(ン)来弓馬の家に住孫呉(そんご)が術(じゆつ)に達(たつ)せしゆへ。近江他国の大名より(18オ)軍師に招(まね)き給へ共。生国はなれ此辺(へん)に刀をのみと鑢子(やすり)にかへ。

目貫の職(しよく)を仕ならひて酒より外に主なしと。呑ンで明して行たをれ。月に三斗で足(たら)されば五斗兵衛といひ
はやす。
神参りの貴賤(きせん)立集り。ヤ此酔(よい)どれは追分(おい)ヶの目貫師の五斗ではないか。ム、、扨も呑ンだの。跡の村から酒の匂(にほ)ひ酒やが有ルと思ふたら此わろ。こちらがめからは人でなし。よふ見て置ヶとはねばしの跡から来る上戸仲間。ハツア給(たべ)られて好(この)もしや。迚(とて)も呑ムならあれ程に。呑ムでなければ人でなし。皆も見ておきやあやかり者と。そしれば誉(ほめ)る参れば下向。行つ戻りの口ずさみ。（18ウ）是も御縁のはしならん。
暫く有ッて庄屋年寄リいかつがましく欠来り。コリヤ往来(わうらい)の道をふさぎ狼籍(らうぜき)な喰(くら)ひどれ。鎌倉の御上使本田ノ次郎近経様のお通り。起上(おき)つて片よれと。ゆすりわめけば大あくび。頭も上ずのつとり声。ハレどんどゝやかましい。鎌倉の上使が何ンじや。此男は忝も都の土地に住ミなれし。義経公の御領分(れうぶん)の職(しやく)人。頼朝殿は関東(くはんとう)の将軍。鎌倉でこそ大事の殿様。都者はへちまの皮。上使でも本田でも。片寄道理みぢんも

おじやらぬ。邪魔(じやま)にならばそつちから除(よけ)て通ッてもらひましよ。あつたら夢を見残したと。足なげ出すぞんざい者。引ずり起(おこ)してぶてたゝけと。（19オ）騒(さは)ぐ程なく近経はヤレ待テさなせそ。思ふ事有と乗物つらせ。しづ〳〵とあゆみ寄。

コリヤ〳〵売人(ばいにん)。義経公の御下(み)タ。都の地に住ミ居すれば。鎌倉の某に礼義せぬとの云分ン一理あり去リながら。アレ。乗物にお渡り有ルは義経公の。思ひ人静御前。囚(とりこ)と成ッて鎌倉へお下。汝(なんぢ)が敬(うやま)ふ義経公の御台(みだい)同前ンの静御前。立上つて三ン拝(はい)せよと。理を理でおさゆる一言ンに。ハツト驚(おどろ)きむつくと起キ。乗物をためつすがめつ近経や。家来が顔を見廻し〳〵せゝら笑ひ。ハ、、、世は末ッ世に成ッて侍イも嘘(うそ)つくの。よいかげんにおなぶりあれ。其手はたべぬと又ころり。寝(ね)るをねさせす引起し。静殿と聞ながら礼義もなさで尾(び)籠(ろう)の振廻(ふるまい)。其上武士を偽(いつは)り者とは緩怠(くはんたい)成（19ウ）愚人(ぐにん)めと。きめ付れば色も変(へん)ぜす。アレまだけふとひ偽(いつわ)りの。アノ乗物の中カながなんの静どの。ばけ物てかなござらふと。いふもゐせ者問(とふ)も堅意地(かたいぢ)。イヤ御供する某さへ。見違(ちが)へぬ静殿を似せ物といふ子細は何ンと。
ヲ、それ程聞たか申て聞ケん。惣じて人に五運六気(ごうんりつき)とて。五臓六腑(ざうぶ)より出る息(いき)。引息。声なふして。物にぎはし。然るにあの乗物。自然(しぜん)と日のめのさしやう薄(うす)く。御自分(じぶん)を始メ二合半の髭奴(ひげやつこ)迄。五音(いん)の調子(てうし)のいまはしさ。某が目や耳には。しつかい坊主(ぼうず)のない葬礼(さうれい)を見るやうで。生キた人とは思はれぬ。それでもあれが静様ならろくな静じやござるまい。青静が泥(どろ)静か。地ハル 気の毒(どく)顔が見へすくと。フシ 見とをす（20オ）ごとく言立れば。

地色ウ さしも明智の ハル 本田次郎。返答(へんたう)もなく口ごもりや、色 打守り居(ゐ)たりしが。詞 ム、扨は儕(おのれ) 都のやうす伝へ聞しやつならん。助ケ置ては後日の妨(さまたげ)。観念(くはんねん)せよと切かくるを。地ハル 枕の手樽ではつしと請留。ウ 一トはねはねて 中 起(おき)上り。ウ 五斗は前後に眼(まなこ)をくばり心ゆるさぬ頬魂(つらたましい)。ハル 本田は少シもたるみを見せず。色 詞 きやつ生ケ捕(どつ)て土産(みやげ)にせん。ソレ家来共縄(なは)を懸(かけ)よと下知すれば。地ハル 承ッて両方より取ッたとかゝる二人が 色 肩(かた)口。詞 両手に抓(つか)んで車投(なげ)。地ハル 跡よりか丶るを蹴飛し蹴かへし。あたりをにらんで。二王立。

又一時に立か丶るを。本田は声かけ。ヤレ暫く〳〵手並は見へたり。家来共慮外すなと。遙に遠さけうや〳〵敷草村に手をつかへ。ふしぎ成ルかや貴公の詞。成程（20ウ）乗物は静殿にあらず。五運六気の考。我々式の及ぬ所。猶も御心を引見ん為。家来にいひつけぶこつの働キまつぴら〳〵。それに付御尋ね申度筋有。怒りを休め下されよと。いふにこなたも胸休まり。ゑがほ作つて是は〳〵御ゐんぎんな。たつた今迄殺そふの。イヤしばれのと有ッた私。尋ねたきとは何事でござります。サ、、砂でお手がよごれましよお上ケ〳〵といふを察し近経近くさし寄。お尋ネ申は余の義にあらす。此大津の追ィ分に今井家の御浪人。藤原氏の何某。武門を遁れて町チ家に住ミ。目貫とやらを家業とし。世の転変をよそにみて潜りくらし給ふよし。然るにさいぜんより。貴公の振廻。只人とは思はれず。若左様の（21オ）御方ならば。主人頼朝数年の懇望。早々鎌倉へ下向有ッて三軍をつかさどり。頼朝が師範となり。士卒の力を助け給はゞ。

詞
関東の大小名は蜀に韓信を得たる悦ヒ。又某が面ン目は。りん相如が使にも勝たる忠義。偏へに願ひ奉る

フシ　中　ハル
と頭を。地に付頼にぞ。

地色ハル　ハル　色　詞
五斗はつと思ひながらとぼけたる顔付キにて。ヤ是は思ひも寄ラぬ事。成程拙者も此大津で職人は職人成レ共。氏素姓の有ル者でもなし。もと小相撲も取リしゆへ表裏で人も投た物。手のすじから見ならひ。陰陽師の口真似。合た時はふしぎ。合ぬ時はまいす仲間。藤原氏の軍師のとは。お目がねが三五の十八。合ぬしよざいの内からも。我らが芸は酒呑事。盃キの相手（21ウ）なら。いづく迄も参りませふ。外の事はお

地ウ　ハル　ウ　ウ
赦しなされ。ハレやくたいもない事に隙入レて日がたける。神参りつゐでにとくゐ方を廻り。宿へもとつ

中　詞
て又。酒々。お暇中といひ捨て礼義もそこ〳〵立上り。行を暫しと呼ヒかけても。耳にも入レず足早に明キ

地ウ　ハル　ウ　ウ　フシ
だるかたげ走り行。

地色ウ　ハル　中　ウ　ウ　ハル
三徳兼備の武士も。世をかざらぬは是非なしと。跡見送りて本田の近経。正敷彼レが今井浪人。此大津に

隠れ住ム目貫師とはおもへども。氏をかくせば力なく。残念ながら行所へ。十三四成小若衆の。町人めきしそぎ袖におしよぼからげの小りゝ敷。人を尋る目はうろ〳〵近経に立向ひ。コレ申お侍イ様（22オ）此道筋にもしやまあ。四十計な男の。酒に酔て行キたおれ。ねてゐる人はなかりしか見給はずやと尋れば。近経胸にこたへ。ヲ四十計の酔たんぼ見た共〳〵。そちが尋ねて何用有と。脇道から問かくれば。イヱ其人は私がとゝ様。不断酒が好物で。朝から晩迄酒びたし。きつふ酔てはたわいなく。山でも谷でも道なかでも。ねる事がおすき今朝からの神参り。今にお帰りなされぬゆへ。気遣さに方々尋ネ侍ふと。語るを聞て近経は扨は彼レが躮よな。だましすかして名を聞んと。ゑがほ作つて声やさしく。ナニ其方が爺親とや。若イに似ぬ親孝行。気得な事と誉そやし。（22ウ）それならそちが爺親は楽人。ハレ浦山しいきやうがい。しよさいはないか名は何シと。あやかり物じや聞たいと。問ハれて何のぐはんぜなく。商売は目貫細工。彫物師の五斗兵衛。私が名は大三郎。ム、スリヤ追分の目貫師か。然らば以前シは今井浪人。藤原家で有ふがなと。問れてそふといはんとせしが。常々父が氏素性(すじやう)むさといふなといひ付を。爰ぞと思ひかぶりふり。イ、ヱそんな人ではなし生れからの職(しよく)人。まあそんな事問(とは)ず共。と、さまのこさる所。早ふ教(おしへ)て下さりませと。まぎらす詞聞キ取ツて。扨こそと心にうなつき。ヲ、父が有所教へてくれん。其目貫師の五斗兵衛は。酔狂(すいきやう)の上に某へ慮外を（23オ）働キ。たつた今まつ二つにぶちはなした。汝は子の役。念頃に弔てゐさせよと。誠しやかにいつはれば。

大三郎は仰天し。何と、様を殺したとや。それは誠か悲しやと。わつと計リにひれふして前後。涙にくれけるが。目を押ぬぐひすつくと立。いかれるかんばせ炎(ほのほ)のことく。走り寄て本田がさし添(ぞへ)。ぬくより早く親のかたき。覚へたかと切かくるを引ツはづし。き、腕(うで)取ツて膝(ひざ)に引ツ敷。用意の早縄手ばしかく。猿(さる)ぐつわにて声をとめ。其性根(しやうね)を見よふ計子細は道々言聞さんと。乗物引明無理無体(たい)大三郎をおしこんで。コリヤ〱家来共。心入レ有鎌倉迄三日半にて時付ケ〱。大事の召人(めしうと)気を付ケ（23ウ）よと。口にはいか

り心には。ム、ム、こう〳〵と。思案も半日も半。ハアあの鐘は。九つでござります。サアいけ。ハア

かしこまつて候と足を早めて　〽たくましき。

本田ノ次郎近経は夜前帰国の悦びとて。家内の賑ひ取分て類葉(るいよう)他門(たもん)祝義の使者。門前敷なみなしにけり。

殊更今度都より誘引(さそひ)来リし大三郎。頼朝公のお耳に達し。梶原父子饗応の役を蒙(かうむり)。未明(みめい)より執権(しつけん)番場ノ忠太光景(みつかげ)。対客(たいきやく)の間へ相詰(つむ)る。主は早朝(さうてう)より登城(とじやう)の留主。妼共こそり寄。ナント篠笹とふ思やる。夕へ殿様連てお帰り遊した奥のお若衆。見た所が町人の息子そふなが。美(うつくし)ひ生れ付。お姫様と始(めあは)して御夫婦になさるゝなら。鎌倉の歴々（24オ）にいくらも有若殿衆。それを指シ置。町人の息子(むすこ)とは替(かは)つた殿のお物好。

ふしんがはれぬといふに中居の浦葉(うらは)がさし出。ム、野夫(やぼ)な事いやゐの。玉世様の聟ぎみに。丸びたいは若輩(じやくはい)過る。其上早朝から。梶原様の御家老が御馳走(ちそう)にきてござる。あれはの。将軍様のお小性に。京から抱(かゝへ)て来たのじやと。聞て皆々コリヤ赦(ゆる)せ。つむりさへ大きい頼朝様に。可愛(かあい)がられたあげくには。底倉(そこくら)

へ湯治で有ロと打笑ふ。

折から音なふ。しはぶきは。奥方の桃園御前ン。娘玉世も諸共に。大三郎をさそひ出上座へ直し引下リ。しとやかに手をつかへ。奥に計リはお気むすぼれん。此館は我君より拝領（24ウ）有し浜御殿。鎌倉中を見おろせば。風景をも詠め給へ。お前の古郷は大津とやら。駅路と申双紙を見れば。後に三井寺逢坂山。前は水海膳所唐崎。近江八景とて景の能イ所じやげなれど。又吾妻にも住ば都。イヤのふ姫。少トおなぐさみに風景を。お出し申しやと有ければ。

アイと玉世は。おもなげに。【二人】あれ〳〵見給へ遙向ふのうみのおもたなびく。霞竪横にかゝりて見ゆる八丈島。三浦三崎や伊豆の浜。浦賀と言湊有。こなたは金沢九里の浜。稲村が崎鶴が岡。塩干の景は夫レはその有ッた物ではないぞいな。ちと浜遊びにいかんすなら。母上諸共お供せん。めいぶつの（25オ）五色貝。おみやげにひろいなされぬか。先美しいお若衆は。【二人】梅の花貝ひろいてしなよく。色貝姫がい。いとしらしいなりふり。かずの。かいどり小づまにな。サヨヲ、さりとはく〳〵。のふさて。しだれ柳のますを貝。うづらすゝめのかいもよし。すがいやさしやア。いたら貝。沖のしほがいにつこりと。笑ふつぼみの青梅も。都若衆につを引て。ほころびかゝる。恋の枝めもとの花に顕はれし。

大三は一途に近経が。父を討しと心へて。親子が詞耳にも入ㇾず。イヤ中奥方様。親の敵の本田殿討ッて父に手向るより。外のたのしみ何ッにもない。無用の馳走なさるゝな。御用仕廻ふて勝負せんと道すがらも云しやつた。（25ウ）まだ御用は仕廻ィでないか。早ふ敵が討たいと言も。無念の涙也。

桃園御前気の毒と傍近くさし寄ッて。ほんにマアく〳〵其事を。自にこまぐ〳〵と。お咄し申せと有しをば。外の事に取紛れ。忘れましたは不調法。夫ト本田の次郎近経。父御を討しといふは跡形もない偽り。親御は去寿永の戦ィより。大津の町へ身退き。春は山路の花を友とし。秋は湖水の月にうそむきたゞ天命を楽しみて。世の盛衰を見る心ざし。将軍是を聞し召れ。何とぞ味方に付よとの御内意。夫ト本田承り。上京の折から。蜜に様子を尋れ共。元より録を貪らず。世を諂はぬ英雄なれば。すなをに聞入レも有ルまいと。
(26オ)お前をさそひ立帰り。此訳をお咄し申先御子息の出世を見せ。親御を味方に付んため。頼朝公へ
も御目見へなされ。主従堅のお盃。さらりと済だ其上で。我子の出世を腹立る親も世界にないならひ。ハ
テ若木さへ合点なりや老木の枝は折レ安い。お歳はいかねど発明なお心にかみ分ケて。サア能ィお返事を聞
ましたいと。詞工みに云ィなせば。娘も傍から母親の。其尾に付ィて。大三様母上のあのやうに。息勢はつ
て云ハんすはよく〳〵お前を大切にいとしぼがつての事じやぞへ。母上計か自ラは猶しましくるおいとしさ。
早ふお返事聞せてとどこやら詞の端々に。色と情をちどりがけはづみ切たる小鞠の。母の察しも打忘レ
(26ウ)大三が返事を聞たがる。
稚けれ共大三郎親子が詞にふは共乗ラず。空嘘吹ィて取リあはねは座もしらけ。たる時しも有。お下リぞふと
告る間程なく本田の二郎。白台に上ミ下地服うやく〳〵敷。積重ねさゝげ出。某が本ン心妻桃園に申付ケ置た

れば。定てお聞候らん。貴殿の御事。頼朝公へ言上せしに。御祝着(しうちやく)なゝめならず。所領の義は。御見みへの刻(きざみ)御沙汰有べし。是は若君頼家卿の御召替(めしがへ)。謹ンで拝領(はいりやう)あれと白台を。大三が前に押シ直せば。づんど立ッて身構(かまへ)し。詰寄(つめ)ッて本田が顔。恨(うら)めしげに打守り。敵を討ば腹切覚悟(かくご)。小袖貰(もら)ふて何にせふ。御用終(おは)らば約束(やくそく)の勝負(せうぶ)せん。但しは御用をたしにして。敵討を（27オ）延すのか。お内義迄同じ様に。目見へせいの出世のと。追従らしい取持顔。此小袖て敵討詫るはさもしひ比興な心。コレ本田殿。蝿頭で鮒は釣ど。古着で人は釣れぬと。詞にもんしやもあやもなく。歯(は)に絹(きぬ)きせず云ィちらされ。本田を始メ妻娘。何とぬめらん詞もなく口を。つむぎて居たりしが。

それ〳〵女房九こんでも出し召れ。娘も共に言付めさ。いきや〳〵。最早(もはや)料理(れうり)の時分ンよし。何として遅(おそなは)ると。料理を塩に大三が機嫌窺(うかゞ)ひ〳〵立にける。

桃園(もゝぞの)玉世が手づからに。薄茶珍菓(うすちやちんくは)を持はこぶ。はへぬお髭のちりを取ル。勝手口より番場ノ忠太。懸盤(かけばん)に美味(びみ)をと丶のへ。御膳めし上(27ウ)らるべしと目八分に指上(さし)て。鎌倉風のすり足に膳(せん)のすへぶり敬(うやま)ひ深く。通ひの座に手をつかへ。拙者は。梶原が執権(しつけん)番場ノ忠太。主人は将軍の御用しげく。名代として某はいぜん仕る。御きげんよく召上られ下さるべしと。謹(つゝしん)でのへければ。出合頭の折悪敷大三郎膝(ひざ)立直し。ヤア手を替(かへ)品替。比興(ひけん)未練(みれん)な追従(ついしやう)けいはく。夫レ程に命がおしひか。其うへ梶原が取持とは。ほうぐはん様を讒言(ざんげん)したげぢ〳〵が家来よな。讒者(さんしや)の家来が給仕(きうじ)の膳ン見るもいまはし穢(けがら)はしと。足ッ下にくはらりとけかゑせば。桃園玉世はハア〳〵〳〵。肝(きも)をひやしてあきれゐる。

短慮(たんりよ)の忠太くはつとせきあげ。(28オ)ヒヤア酢(す)の過た小てつちめ。物を覚へて此かた。人の給仕(きうじ)抔(など)終ィにせぬ此忠太。頼朝公の御諚意(ぢやうゐ)。主人の名代なればこそ。樽ひろい同然の小躮(せがれ)めに。番場の忠太が給仕はいぜん。土足にかけるのみならず。主人梶原をないがしろの雑言(さうごん)。細(ほそ)首はねて舌(した)の根留んと。腰(こし)刀に手をかくれば。桃園玉世が引留るを。ふり放(はな)し〳〵。すでにかふよと見へたる所へ。

本田ノ次郎飛で出忠太を引キのけ。ア、是々麁忽(そこつ)なり番場殿。雑言ンは扨置。すねをもたせても。堪忍(かんにん)せいとの御諚意を忘れてか。あれまだ。其十面ンは何事と制(せい)しても。無念〳〵とせき立面色。漸(やう)〳〵なだめ大三に向。扇を持てあをぎ立〳〵。ホヽウ天晴いさぎよし（28ウ）大三殿。敵討を侘(わび)るかと。我レをさみする詞の手強(づよ)さ。たるまぬ勇気。ハアさすが五斗殿の種(たね)程有リ。生先(おいさき)見へて頼もしし。某が本ン心疑イはさる事なれ共。五斗を討しと偽(いつは)りしは。頓智(とんち)を以ッて本名を名乗ラせ。武勇の芽(きざし)有やいなやはかり知ラん一トつの方便(てだて)。二つには頼朝公御懇望(こんもう)の五斗なれば。御身を君につかへさせ。ひなをおとりに。親鶴を餌飼(ゑがい)なづけん塒落(ねくらおと)し。しかのみならず義経公。御連枝(れんし)不和に成給へば五斗殿を軍師にまねき。御催(もよほ)しも有ル時は。国家の騒動(さうどう)民の嘆き。某が詞に付将軍へ仕へなば。聖経軍術(せいけいぐんじゅつ)に伝達(てんだつ)せし。五斗兵衛実基(さねもと)にてもなどか（29オ）我子に迷はざらん。其後君の御教書(ぎやうしよ)を。御身持参ン有ルならば。すげなふいなともいはれまし。さなくと御舎弟判官殿。いか程頼み給ふ共。子に引されて味方はせられじ。然れば国下安全なり。稚(おさな)く共此道理を弁へて。御連枝和睦(れんしわぼく)のたねとなり我念ン願も立てたべ。弓矢神を誓(ちかひ)に立鎧を再(ふた)び肩(かた)にかけまい。歩(ふ)に首をさげられん。此詞に偽(いつは)りなし。疑ひはれて将軍へ。御仕官(しくはん)頼む大三殿と張子房(ちやうしばう)が韓信(かんしん)に。剣キを売リしふること迄。かぞへ立言ィならべ。天下の為に心をくだく近経は。唐(から)の鏡(かゞみ)と世の人の。狂歌によみしも理り也。

生得明智(しやうとくめいち)の大三郎忠義の（29ウ）詞一チ々に。聞弁へて感涙(かんるい)し暫(しば)し。いらへもせざりしが。ずんど立ッて席(せき)を下リ。物数ならぬ父の五斗。天下の為に懇望(こんもう)ある忠臣ンのお詞に。父の存ン命承はり安堵(あんど)の開胸(かいけう)仕る。親の心はしらね共御連枝和睦(れんしわぼく)の綱(つな)にもと。仰もだしがたければ。違背申さん。やうはなし。君の御前を御取成シ宜敷。頼み上ますると。一揖(ゆう)して番場に向ひ。忠太様先程の不礼は御免下されいと。詞を改め手をつかへいんぎんにのべければ。本田夫婦が悦びはたとへん方なく取訳ケて。娘が嬉しさ双六(すごろく)の恋目の出しことく也。

地色ウ近経喜悦(きゑつ)の眉(まゆ)をひらき忠太殿には此おもむき。急ィで君へ言上有レ。（30オ）某は大三郎を跡より誘ひ出仕
せん。寸善尺魔(すんぜんしやくま)お急ぎ〳〵。然らば左様仕らん大三殿後刻(ごこく)御前ンで対顔(たいがん)と。番場は急ぎ出て行。
詞サア〳〵女房。大三殿に湯をひかせ。髪も衣服(いふく)も改メさせよ。早ふ〳〵と差図(さしづ)にまかせ伴ひ。奥へいさみ
入ル。
詞ヤア〳〵誰レか有今日は晴レの登城。いつ〳〵よりも歩行(かち)馬廻り男すぐつて供させよ。ハツト答(こた)へてかち若(わか)
党(とう)。そろひ六しやく引馬のいなゝく声もはなやかに御所をさしてぞ 〽立かへる。
地中東路と都を爰に。追分ケや。大津八町に隠れなき五斗兵衛か住家には。息子大三が見へぬとて二タ親の嘆キ
を察(さつ)し。あたりほとりが云合せかへせ（30ウ）返せの日数も立。鉦(かね)や太鼓の音(ね)もくもり。哀レにも又物す
ごし。
地色中主シ五斗は未明(みめい)より尋に出たる留主の宿。娘の徳女はやさしくも兄が身の上ヱ安穏(あんおん)と。幼(おさな)心に神たゝき

三ン社の棚へ燈明を。ともして払ふ笹の露。打塩水のしほらしや。

母の関女も奥よりいで不浄を払ふから手水。清めて共に立願をかけがへもなき男の子。無事に戻して給はれと祈る片手にコレ娘。ヲ、よふ心が付ました兎角頼ムは神仏。今更云に及ばね共。大三が実のお袋は。八年以前に大病のやみ死。やもめに成ッて五斗どのはあの子の養育。折リに幸イわしも後家住。われ鍋にとぢぶたと人様があいさつで。（31オ）そなたを連レ子に此家へ嫁入。男の子珍らしさ大事にかけて十四五迄。そだて上ケた大三。連レ合や世間には。日比を知ッてござるゆへ。云分ケも立べきが未来にござる母ごぜが。継しひ中ゆへ麁末にして。失ひでもしたかなど、。草葉のかげから此母を。お恨でも有ふかと。それが一ぱい悲しいと涙ぐめはおとなしく。コレか、様。常々おまへが兄様を。大せつになさる、とはと、様もよふ御存じ。殊にあれほど近所のお衆や。と、様迄方々と尋にお出なされた物。つい連ましてお帰りなされふ。ぐど〳〵思ふて此上に。煩ふてばし下さんすな。ほんに日脚も昼近く。皆お帰りを待ましよと。母に力を次の間へ。泣キに（31ウ）立こそ殊勝なれ。

いか様そふじや。死だ物かなんぞのやうに涙こほすはいま〱しい。ア、泣まいぞ〱と。いひつゝ案じに胸せかれ。どふかこふかの折こそ有レ。

いきせき来るはせき女が兄。捻(ねぢ)がねの門八とて所で名うてのいがみ者。門ト口からとす声にて。くらひどれは内にか。小舅の門八が逢イに来たと。あがり口に大あぐら。コリヤヤイ妹。此月のさし入に。去ルれき〱から頼まれ。あつらへて置た百疋猿の目貫。手付ケの金は先キへせしめて目貫を今に渡さぬぞよ。おれが先キ様へ立タぬはやい。けふの内にじやが非でも。埒明にや聞ぬ門八。どろぼめはとこへうせた。引ずり出して（32オ）ちやつと逢(あは)せ。コレ兄様。ヱ、こなたはの。こちは大事のむす子を失ひ。細工所ではないはいの。主があれほど好キな酒さへ一ッ滴(てき)も咽(のど)を通さず。泣くらすを笑止(せうし)がり。他人でさへ御近所から。大勢が手はけをして。返せ〱の太鼓鉦が。其耳へ入ませぬか。こなたの為にもいはゞ甥子。共々尋にあるいたとて笑ふ者は有まいぞや。ヤイ奚なそげめ。アノ倅が見へぬとておれが何の悲しかろ。そんな詮義にやこぬはいやい。目貫が出来ずは手付を先キへ戻せ〳〵。コレ其金が今時分ン迄ある物か。大三さへ戻つたら終出かしてやりませう。不常ながら待ッて下され。テモぬかす事かみな（32ウ）どろぼ。いつ戻ろやらしれぬがき。それがどふまたれる物。儕レにいふては役にたゝぬ。晩に来てくらひどれと。さしむかひに埒明ヶる。そふぬかして置あがれ。アタぼこしもない。すりめにかゝつてすねも。雪踏もたまらぬとわめき〳〵ちらして帰りけり。

跡を詠メで。独リごと。さりとはむごいど根性。兄と云のも穢はしい。義理も情もしらぬやつに。修羅もやそより神々へ。早ふ吉左右聞やうの。お頼み申そと立上り。常に夫が神拝を。見習ふて打ッ柏手に。吐甫加美恵身多女真実を。神も哀れみ給ふらん。

誠や生智安行の聖人さへ。子のいつくしみは離ぬ習ひ。ましていはんや凡ン夫心軍術に達せしとて。など

か我子に（33オ）迷はざらん。フシ

地色ウ　五斗兵衛はしほ〱と打しほれたる案じ顔。尋ネあるきしかひもなく。今日もすご〱立帰る。詞　ヲ、こちの人戻らしやんしたの。まだ有かもしれませぬか。地ハル　様子はどふじやと尋れば。詞　サレハイノ。もしや狐(きつね)のわざではないかと。稲荷(いなり)山を一ぺんさがし。戻りがけに藤の森(もり)。狼(おゝかみ)谷から六地蔵を。立横十文字に尋ネても。知レそふな手懸(かゞり)もおじやらぬ。地ウ　近所の衆から便リもないか。どこに迷ふて居る事ぞ。ハル　いちらしや不便やと涙ぐめば涙ぐみ。色　詞　こちと女夫が此のやうに。泣くらすとは露知ラず。尋もせぬかと子心に。さぞ恨めしう思ふらめ。地中ウ　朝晩(あさばん)ねがふ御本尊(ほんぞん)三社(じや)の神（33ウ）の力にも。上　叶はぬ事か悲しやと。キンハル　涙にむせぶないじやくり　クル　中フシ　ハル　夫婦が。悔ぞ道理成レ。

地色中　ウ　折から表へ笠ふか〴〵。只者ならぬ侍の。供をもつれず只独リ。ハル　色　用有げにさしのぞき。詞　目貫細工(さいく)の彫物師(ほりし)。五斗殿の住家は是かと。地ハル　網笠(あみがさ)取ッて内に入リ。中　ウ　少誂(ちとあつらへ)度キ目貫有ッて。ハル　ウ　堀川の館より泉ノ三郎。蜜(ひそか)に推参(すいさん)致したり。御免ン有レと座に直れば。

心ならねど国主の家老。麁末(そまつ)にもあしらひ兼。コレハ御用と有ラば。お屋敷へ召し寄られても仰られず。

勿体(もったい)なくも御大老の。見苦敷(ぐるしき)あばらやへ。冥加(みやうが)に余る俄(にはか)のお成(なり)。イサこなたへと。ちり打払ひ。上座へ
もうけをなしければ。

イヤ此方から（34オ）お頼み筋。誂(あつら)へ度とは目貫かたし。ム、目貫は一対ィの物。それにかたし頼むとは
ヱ、聞へた。扨はどうらんのこはぜにでもなされますか。イ、ヤ左にあらず。此度主君義経公は。鎌倉の
将軍頼朝公と。梶原が讒言(さんげん)にて御中不和(ふわ)に成リ給ひ。近々に大軍向ふよし。親兄の礼有レば。一ト先都を御
開(ひら)きと進(すゝ)むれ共。罪(つみ)なき御身を落行給はゞ。却(かへつ)て誤(あやま)り有ルに似たり。思へば弓矢の勇(いさみ)もなし。所詮(しょせん)鎌倉の
勢(せい)を引受ケ。勝負(せうぶ)を一戦(せん)に定んと。評義一ッ決(けつ)に極(きはま)る所。スハ合戦に及ばん時。搦(からめ)手(て)を守るさし裏(うら)の目貫
は有レ共。かんじんの表(おもて)。追手(おゝて)を守るよき細工の目貫。かたしかけて（34ウ）拙者が難義(なんぎ)。兼ネて御辺ンが

細工の手ぎは。臥竜(くはりやう)先生が肺肝(はいかん)を出。子房(しばう)に並英才(あいさい)を聞及べり。哀レ武門に立帰り。さし表(おもて)の追手を守る。
かたしの目貫を請取て。士卒(しそつ)の力を助ケてたべ生々世々の頼ぞと。軍師にたのむとしらけていはず。目貫
によそへし謎々(なぞ〱)を。思ひがけなき五斗兵衛。両手を組ンでさしうつむき只もく。ねんと詞なし。
地色ハル 女房何の気もつかず。どふやら是は六ケ敷そふな誂(あつら)へ物。並(なみ)大体の金では出来まじ。算(さん)用してみさしやん
せ。そろばんやろかとうらどへば。
地色ハル 五斗兵衛打うなづき。ム、ウ面白き目貫の誂へ。品によつて頼れん。爰は端近(はしぢか)人目も有リ。(35オ)奥の
一ト間で細工のもやう。貴殿の物好承はらん。イザこなたへと立上る。扨は御許容(きよやう)有べきとや。望叶ひし
我大悦。始終(しじう)の事は一ト間の内。夜光の玉を取得し悦び。思慮涌出(しりよわき)る泉ノ三郎伴ひ〳〵てこそ入にけれ。
地色中 女房は一図(づ)に細工と心へ。サア仕合が直ッてきた。此きほひに大三も戻らふ。首尾はどふじやと奥の間を。
さし覗(のぞい)ては立たりゐたり。耳そば立れば表テの方。いつ聞なれぬ轡(くつわ)の音ト。大勢のさはぐ声。又人こそと見

る内に。十四五成ル小人の。上下大小さはやかに。錺(かざり)立テたる乗馬(じやうめ)にまたがり。こちの内を目当テに来る
は。慥カ息子の大三じやが。テモよふ似たと詠ムる内。門口に馬乗リはなし。(35ウ) コリヤ〳〵家来共。用
有ラば呼べき間。さし控(ひか)へ待ッて居よと。下部を遥(はるか)に遠さける。
押柄(をうへい)成ル物ごし迄。聞ばちがへぬこちの兄。さもあれふしぎな形かつかう。うかつに詞も懸られず。内よ
りそつとさしのぞき。顔見合すればノウか丶様。お久しうござりますと。声かけられて飛ヒ立計リ。ソリヤ
こそ兄の大三で有ッたは。ほんにそふじやと走リ寄。シテ其姿はどふしたわけ。よふ戻りやつた息才でと。
嬉しき余り詞さへ。しどろになつて問かくる。
ム、目なれぬ姿御ふしんは尤。かやうにわたしが出世の訳ケは。いつぞやと丶様を。勢田へ尋ネて参つた時。
本田の(36オ) 次郎近経殿に出合。無体(むたい)に東へつれかへり。今では頼朝様に御ほうこう。それに付と丶様
へ。将軍様から御状が参つたおめにか丶つて見せましたい。奥に休てござるならそふ申て下さりませ。

ム、それなら出立がりつぱな筈。主に見せたら嘸悦び。イサと手を引門ト口を。くゞるのれんはうすけれど。恩愛(おんあい)厚き親と子の。悦び声を聞付て。五斗は奥より走り出。ヤア兄よ戻つたか。ヲ、よい侍ィに成たなア。親より生れ上りよつた。シタカ。いま嚊へ咄しちらと聞たが。本田といふは彼童が狂歌(きやうか)によむ。頼朝に過たる物が一つ有ル。(36ウ)陪者なれど本田近経。其本田が事か。ナそふであろ。それは夫レじやが。頼朝様から此と、へ御状とは。ハレ呑込ぬどれ〳〵と。いふに大三は懐(くはい)中より。うや〳〵敷文箱を出し。御用の訳ヶは直筆にて。委細認(したゝめ)置ヵれたりと父が。前にさし置ば。

何事かはと封押(ふうおし)切リ。くり返し〳〵。読(よみ)おはつて押戴(おしいたゞ)き。嚊も大三も聞てくれ。鎌倉から此と、を。御家来に抱(かゝ)へたい。倅と同道。鎌倉へ下り奉公するなら。十万石の大名にせふと有御文章(ぶんしやう)。忝い事ではないか。アノこなたを大名にや。テモ有難ィ仰じやの。そんならわしは御前ン様。此子は若殿娘は姫君。此上の出世はなし。一時も早ふ取急キ。(37オ)大名に成ッてみたい。旅用意さしやれぬか。ヲ、夫レ々。是程有難ィ将軍のおゝせ。何のいやと申さふ。シタカちつとわけ有ッて。こちとらは二三日跡から。東へくだらにやならぬ。そちは先キへ鎌倉に下り。父母共追付罷下ル筈にて。上意をお請申せししるし。恐れながら返翰(へんかん)と。返事を君に指(さし)上よ。地ウドレ紙おこしや書ハルィてやろ。フシ硯はとこにと見廻せば。

地色ウハテ二三日の間なら迚の事に大三と一所。ハル連レ立ッてくたら色んせ。詞ハレ何しややら様子もしらず。おれ次第にしておきやれと。地ウしかられて是非もなく。ハルヲイと云ッても神ウミ棚ウの。徳利の口の白紙より外ヵになしウぢの鼻(はな)紙を。フシ是でよいかとさし出す。

詞ハレこな人は(37ウ)草波紙(さうしがみ)で書れる物か。地ハルヲツト心へ単司(たんす)の引キ出し。ウ尺長(たけなが)半分ン取リ出し。夫トに渡して我子の傍(そば)。詞コレ大三。此やうな仕合は寝耳へ水といふやら。たとへやうもない出ッ世。是もひとへにそなたのかげ。地ハル子とは思ウはぬ氏神と手を合すれば勿体(もったい)色ない。詞皆とゝさまのお影(かげ)ゆへ。地ハル私共迄思はぬ立ッ身。お前も嘸(さぞ)色嬉しかろ。詞嬉しひ段ンか余ンりで。夢じやないかと思はるゝ。いか様ほんに。地中人の果報(くはほう)の付ク時と。夏(なつ)

の日の夕立は。何ン時で有ふも知レぬと。むつましげ成其隙に。五斗は返事書認め。文箱に封印しつかとす
へ。コリヤ〳〵大三。少しでも隙取レば。君へ対して不忠の至り。随分道中心をせきはや立帰れと（38オ）
状箱を。渡スを受取懐中し。然らば私はお先キへ下リ。お請ケの様子を我君へ申上。此お返事を差上ケましよ。
嗅様跡から。とゝ様や妹と一所にお下なされませ。ホンニ余りの嬉しさで。妹に逢するのをはつたりと忘
れた。恋しがつたに立ながらちよつと呼ッでと立上るを。ハテ近い内一ト所へ寄リ集る親兄弟。二日や三日
遅いとて。顔の替る事もない。急げ〳〵に力なく。そんならそなたはモウいきやるか。こちらも仕廻ィ次
第随分急いで追ッ付ましよ。まめで〳〵と門口迄送り出。こちの息子の大三様のお立チ。ヤイ家来共。イヤ
家来様方。早お帰りと呼はる声。そりや（38ウ）お立よと詰かくる。嗅様さらば。早ふお下リ待ますと。
につこと笑ふ暇乞。別レて大三は立帰る。
跡見送りて。母親が。誰を相ィ手の自慢口。ヲヽ器量ならこつがらなら。天晴の侍。若君には恥かしない

と内に入。サア五斗殿。油断(ゆだん)する所じやない。仕廻事はとふじやいの。ハテせか〳〵とやかましい。夫レをぬかる物かやい。マア仏壇(ぶつだん)に火をともしやれ。ヲ、夫レ々。此様に出ッ世するも皆仏神のお影ケ。お礼のかんきんよかろふと。ほた〳〵悦び仏檀を。としや遅(おそ)しと押シひらき御(み)あかし上る其隙に。五斗は扉(とびら)へべつたりと。何やらはり出ス鉦(しやう)ごに鐘木(しゆもく)。頓生菩提(とんしやうぼだい)仏果聖霊(ぶつくはしやうれう)。南無阿みだ。〳〵。南無阿弥陀。仏迄聞ず（39オ）女房は。コリヤ何ぞ。老先キの有大事の子。死ンだ者か何ぞの様に。俗(ぞく)名五斗大三菩提(ぼだい)の為メと。アタいま〳〵しい念仏はと腹立声に。涙ぐみ。

様子しらねば断リじやが。鎌倉へかへるやいなや。どふでも大三は死ヌ。はいた。ヤアそりや又なぜに。それしりながら追ィ戻す無得ク心。追かけて呼ヒ返ェそと。かけ出るをしつかととらへ。コリヤ待子細をいふて聞カせん。奥に控へし泉ノ三郎。目貫を誂(あつら)へるとは偽(いつは)り。誠は此度。義経公御兄弟の。御中不和(ふわ)となり。近ン々に軍サ始(はじま)るゆへ。某を味方に招(まね)き。一ッ方をふせぎくれよとのお頼み。我カ古(いにしへ)は木曽(きそ)の浪人。同じ源氏の末ながら。頼朝には仇(あた)有家筋(いへすじ)。先祖(せんぞ)の恨(うらみ)此時と思ひ。義経公（39ウ）の御味方。畏ッたと請合し其跡へ倅が使。鎌倉より我を懇望いかに倅がためじやとて。一旦武士の契約。今更ラ違変成べきか。此訳を倅レに語らんとは思ひしが。あいつも五斗が種じや物。大事の使を仕損(しそん)ぜしと。切ッ腹するは知レた事。若木の花がむざ〳〵と。目の前で死るのを。親の身でまじ〳〵とどふ見物が成物ぞ。追ッ返さん計ッに。いつわりいひしを誠と思ひ。磯々(いそ〳〵)として下るべき。将軍の幕下(ばつか)に付事。罷リならぬといふ今の返事。頼朝公へ指上(さし)ば。手討に合か。其場で切ッ腹との仰。生キては二度(たび)戻らぬ躮。今別レたが一ッ生の。顔の見納め生別レ。死ンだと思ふてする廻向(ゑかう)。おしや不便とばかりにて。（40オ）さしもの五斗がせきのぼす。胸に涙のこらへ兼わつとばかりに。泣ゐたる。

様子を聞ィて妻の関女。扨悦びと悲しみの。是程早ふ替る物か。そふ有ふとは夢にもしらず。鎌倉へ下りなば。五斗殿の若殿よ。お世継(よつぎ)様と大勢(ぜい)が。敬(うやま)ひかしづくあの子の威勢(ゐせい)。見る嬉しさはいかならんと。楽みしかひもなく。死ルとは情ケないそれ知リながらつきはなし。独リ戻スる侍イの。道とはいへど余りじや。むごいと計ふししづみ正体。もなく嘆キしが。

奥より聞ゆる足音に。五斗は泣キ顔押ぬぐひ。コリヤ〳〵女房。未練（みれん）と泉三郎が。心の嘲（あざけ）り恥かしし。泣な。〳〵と云つゝも。こぼるゝ涙を*脇（き）目て払（はら）ひ。座したる所へ。

三郎は（40ウ）子細聞ケ共聞ぬ顔。さあらぬ体にあゆみ出。始終奥（じう）にて談（たん）ぜし通リ。弥替ラず御味方と。主君義経に申聞せ。すぐに今日迎イの乗物。拙者が宅（たく）迄落（おち）付キ給へ。後刻（ごこく）ゆる〳〵御意得んと詞すくなに立出れば。早御帰リか。稀（まれ）の御来駕（らいが）に麁末（そまつ）のあしらひ。万事御用捨下さるべしと。式礼目礼こまやかに。別レて出る門の口。子を持人は嘸かしと。嘆きを汲（くん）で泉ノ三郎。しほれて〳〵我家に帰らるゝ。

見送りながら。女房せき女。客の立ツ間を待兼て。無三（むざん）さかわひさ不便さを夫に。すがり溜涙。あはれいやます五斗兵衛。心に放（はなれ）ぬ我子の身の上。涙ぐみて立たりしが。天せい備（そは）はる勇者の魂。忽チ心を（41オ）

ひるがへし。ハツア迷ふたり〳〵。東福寺の聖一国師は。我子の肉を喰ひ大道心を立られし例も有。出家も武士も義は一トつ。よしなき愚智に迷ふまじ。都の迎ひも来るべし。用意せんと勇(いさみ)をなし一間にこそは入にけれ。

妻は嘆きに気もうろ〳〵とふかこふかと案じの最中。約束(やくそく)也としたり顔。時分考(かんがへ)捻(ねぢ)かね門八。どろめは内へ戻つたかと。すぐに座敷へのさばり上り。どこにけつかる引ずり出せと。家内をきよろ〳〵ねめ廻せば。小づらにくさのにくて口。ヲ、手付を返せなら。アタやかましい戻して仕廻ふ。もちつとそこに待しやれと。立ッて行クをコリヤ〳〵〳〵待テ妹。もちつと先キ（41ウ）までない金が俄に有て戻すとは。ハア、聞へた。たつた今爰の内から。りつぱな侍イが編笠(あみ)きて京の方へぴッか〳〵光着物をきていかれたが。何ンぞ能イ事が有ッたナ。常からぎす〳〵いふと思ひ此門八に隠スのか。アリヤ皆わいらが為じやぞよ。なぜといへ。五斗兵衛に酒を止(やめ)させ。細工に情を出さそふ計。真実何のにくからふ。しんは泣寄リと云事しらぬ

かい。よい事なら共々に悦びたい。隠さすと咄して聞しやサアどふしや〳〵とたらしこんでも我レが心て
は合点せまい。が。そこかしんみじや。たつた二人の兄弟じや。あかせ〳〵と手をかへ品かへ問落(といおと)す。
女心のあどなさに兄と思へば（42オ）心をゆるし。其心底なら何隠(かく)さふ。今日は大三が戻つて来ての。様
子を聞に頼朝様に御奉公。次手に親の五斗殿も。御味方に下れとお使。もちつとの違ィで連レ合は。義経様
へ御味方申。大三が死ると知リながら嘘(うそ)ついて追ッ返したと。云ィも切せずナニ。アノ五斗は都方へ。早味
方召れしか。はて扨夫レは。ム、、、それ〳〵其様なめでたい事。聞ずに置てよい物か。手付の金も
へちまも入ラぬ。逢(あふ)てちよつと悦ふ。呼ンでたもれと打とけ顔。そんなら主を呼ヒましよと。何心なく立上
り奥へ〳〵呼行影を見て。すつくと立ッて一ト間を覗(のぞ)き身づくろい。小陰(かげ)にひつそと息をつめ。鼻息もせす窺
居ル。（42ウ）
かくとはしらで五斗兵衛。小舅殿かよふこそと。立出るをやりすごし。声をもかけず後より。まつ二つと

切付るを。心へたりとかいくゞり。すつと寄て刀をもき取。大げさに切付ればうんとのつけに反かへる。
音トに驚女房娘。何事かはと走リ出。見れば夫トの手にかゝり門八が苦痛の体。是はと計リあきれ果。しば
し詞もなかりしが。
五斗兵衛は色も変ぜず。思ひがけなくだまし討にと切リかけしは子細ぞあらん。まつすぐに白状せよ。様
子聞ねば殺されずと。突飛せばかつはとふし。苦しき息を起直り。ハア、仮にも人のつゝしむべきは身に
応せぬ強欲ぞや。此程本田近経より書状到来。汝に（43オ）縁ン有五斗兵衛。軍術に妙有事頼朝兼て聞コし
召れ。ふかく懇望なさるゝ故。躬レ大三を召捕置たり若味方にまねかぬ内。万ン一五斗が都方へ一味せば。
鎌倉の為には心腹の愁。早く首を討ツてくれよ。一ツ門トの侍イに取立んとの文ン章。なんでも儕レ仕あふせん
と。百足猿の目貫を誂ラへ。毎日〳〵入リ込しは。事の様子をさぐらん為。今妹が咄しを聞扨こそと心の悦
び。只一ト討にと思ひしが身の破滅。誰レ有ふ日本の大将頼朝公の目がねに預カり。軍師の器量備はつたる

五斗殿。我々風情がそもそも古今ンに稀なる武士の。手にかゝつて死ルが仕合。（43ウ）本望はとけね共。一旦約束した通リ志シはやつてみる。モウ本田へも義理は立ッた。妹や姪が事必 お見捨下さるな。サアいふ事も是迄。早ふ此世の暇をたべと。常に替りし今はのけなげさ。妹や姪は血筋の別レ。泣キたけれ共夫トの心。かねてに違ふ云ィ訳ヶと忍び。涙にむせかへる。

五斗も袂を。しほりしが。ハア、驚キ入たる御心ン底。善にもせよ悪にもせよ。人と約せし一チ言ンの。義を立ぬくが男の魂。でかされたり〱迚も此深手では。存ン命思ひも寄ラぬ事。某を討んとせしは武士に成リ度初一念ン。未来焔魔の帳にては。義経公の御内五斗兵衛と引ッくんで。討死せしと伝へられよ。我も又鎌倉より。さほど懇望なされたる（44オ）御厚恩を報ずる寸志。運ンつきて敗北せは味方の勇士にぬきん出て。一番に討せん。是をみやげに成仏ッ有レ。苦痛させじと引寄セて。とゞめをさせばはかなくも。覚行夢と成リにけり。

地色ハル
親子は死骸(しがい)に抱付(いだき)キ。袖と袖とに声涙前ン後。不覚(ふかく)に取乱す。

地色ウ
早表には迎ィの大勢乗物つらせ入来る。音に五斗は妻子を引立。ヤア悔な泣な返らぬ道。死の縁無量(むりやう)有為(うい)転変(てんぺん)。定メなきこそ世の中と勇(いさめ)々て立出ル。関女や徳女が忍ヒねに。泣声直クに経陀羅(きやうだら)に。手向ケと成レや未来の家土産(いへづと)。寂光(じやくくはう)浄土の蓮(はちす)の台(うてな)に至り至らん彼岸(かのきし)の。彼岸(ひがん)の花や。入相の。鐘を。限リに住馴(すみなれ)し。

キン
大津を出て九重の花の。都へ急キ行（44ウ）

第　三

三下リヲントハル
されば吉田の兼好(けんかう)がつれ〴〵草の筆ずさみ。色を好(この)まぬむくつけはそこなき玉の盃キと。書(かい)たは何れすい坊主兎角(とかく)浮世は恋と酒呑メやうたへとたはふれて。春の最中(もなか)に秋を見る座敷の内チで大踊(おとり)。

音頭は九郎義経公三味線は静御前。太鼓は亀井が女房の鵜鷹が役と定メられ。錦戸伊達ノ兄弟が。奴仕出しについてふる。娩ト多き其中に。花染狩衣ふり付ケにて。昼夜をわかぬとちてん〳〵。すつてんてれつく天井抜。呵手のないさはぎ也。

娩共は踊をやめ。コレ申御兄弟様。（45オ）お前方の手拍子がすつきりとすまたなゆへ。私らが拍子も合ぬ。ちと気を付ケて踊らしやんせ。ヤアちよこざいな女めら。惣体踊リといふ物はむかふについて踊ルが秘蜜。儕等が不拍子を我々にぬり付る横着な引キさかれと。あたまごなしにきめ付れば。

義経公打笑給ひ。コリヤ兄弟が尤。素股から本間の拍子はどふでも邪魔に成そな物。かりにも我等が御台所。静御前の親叔父に。慮外踊のひなん。随分二タ人か踊を見て儕レ等も素股に踊れ。けつく慰み〳〵と何に付ケても御ひいきに。ナント見たか。殿様の詞が正直正路。どいつてもぐつと成リとぬかしてみよ。（45ウ）相手にするとかいらぎの。柄ひねくつたるおとなげなさ。静御前は気の毒さ聞カぬ顔しておはせ共。

物にこらへぬ鵜鷹がさし出て。殿様の御意成レ共。あんな踊に合ハせふなら。三味線太こもあつらへて不拍子なを買ねばならぬ。不自由な踊でごさんすのとやりこめられて。

むつと赤面（せきめん）。よいか悪ひか現（げん）のせうこ。今一チ度始メてくれふ。コリヤ面白からふはい。静三味せん太こを鵜鷹。兄弟は随分と間拍子揃へ一ト踊。任せておけろとかけ声は。そこらで音ン頭とらしやませソレやつとせい。　きて見よと。咲くらべたる花ずもふ花壇（くはだん）をすぐにとひやう入リ。ぎやうじに（46オ）すゝむひあふきのまねき寄セたるよりの方。いせの。浜おぎ角びたいなにはのあしのふんで出る。是をきて見よかしのへ。　おどり半ハに大将は御声も打とけ給ひ。ヤア静鵜鷹。けふのさはぎに妣中カ間の立テ物。花ぞめやかりぎぬが伊せ音頭の所作（しよさ）踊リ。見残すも残ン念〳〵。所望〳〵の御声に。

静御前鵜鷹も共にすゝめ給へば錦戸兄弟。ヤア君の仰じや踊れ〳〵。間の延ちゞみを直してやらんとかさ取ルにくさも殿の御意。花そめかりぎぬ辞退（じたい）なく。支度（したく）にかゝれは鵜鷹が太鼓。三味の音色もしづかごぜん。はやひきいだす。（46ウ）　人めをつゝむ今のうさこはさあやうさおそろしさ。過し初恋君と我しのび逢た事思ひ出す。秋しのゝ里村がらすかわゐ〳〵の声聞時は。いとし子の事思ひ出す。かゝる所へ大かいらぎの貫ノ木ざし。踊の中へほふかぶり。我等もちつくり踊ルべい。アリヤリヤ。コリヤリヤ。やつとせいと。女中の中ヵを押わりへしわり大手をひろげかきさがせば。錦戸兄弟目に角立。ヤア命しらずの愚人（ぐにん）め踊リの邪魔（しやま）するくせもの。首引ぬかんと伊達次郎。取付をしつかととらへ。任せておけろともん取リうたせ。ヤこいつもちつくり上手めじや。次手にこいと錦戸が。走りかゝるを引ッ（47オ）つかみ二三間ン投付（なげ）れば。ソリヤあばれ者怪我（けが）すなと。静御前に鵜鷹を始メ女中は残らず逃ヶ入ッたり。

兄弟ほう〳〵起キ上り。何やつ成レば我君の御前をも憚（はゞ）からず。ほたへ過キたる狼籍（らうせき）者。頬（つら）を見んと立寄ッて。ほうかぶり引たくれば。亀井ノ六郎重清がにがり切ッたる顔付にて。すつくと立ッたる有様に。兄弟兼て手並(なみ)はしる。小気味わるさにじり〳〵と尻(しり)ごみ〳〵とこそ見へにけれ。

御心にさはれ共詞をやわらげ義経公。ム、心へぬ六郎か振廻(ふる)イ。招(まね)かぬ踊に物好姿。我慰(なぐさみ)を妨(さまたげ)る所存ンいかにと仰を待ず。ヱ、情なや。踊の破(やぶれ)しには御心を痛。天下の（47ウ）破(やぶ)るゝには御目も付ざるか。さいつ頃(ごろ)。鎌倉より仰こされし人質。御渡しなきゆへ頼朝公の怒(いかり)つよく。近々に大軍責(せめ)来るとの風聞。万民の心安からす。然るに昼夜のわかちもなく。色と酒とに正気をうはゝれまします故。お家にふるき武蔵を始め。十一人の御近従(きんじゆ)。入替り立かはり御諌申せ共。お傍(そば)に仕へる。佞(ねい)人めらが。甘(あま)き詞に迷(まよ)はされ。御聞入なきのみならず。却て御不興蒙て。皆分国に引キこもる。今にてもスハ。御大事といふ時。君の為に一命を。露ちりいとはぬ忠臣は。御館に候はず。此御合点も行カざるは天魔の見入レか浅ましやと涙を。こぼし諌むれば。

ヤア（48オ）こしやく成六郎。汝燕雀(えんじやく)分ンとして。大鳥の心いかでか知ラん。一旦ン互イに和睦(わぼく)をなし。心とけたる兄頼朝。何しに胸を変じ給はん。ハツア愚ヵ成ル君の仰。梶原平三景時が様々の讒言。殊更。権ノ頭が請合し人質静御前。君御得心ましまさねば御舎兄も又勢約を。何とて守り。給ふべき。只今にもあれ人質を鎌倉へくだし御憤をしづめ給はゞ。天下は自然とおだやかならん。最前ンより我君にさかろふとは知リながら。申上るも国家の為。是非静殿を敵に渡し。早く佞人を遠ざけて忠臣を招き寄セ。お家長久の基とし臣等をめくみ給はれと。繰リかへし〳〵。（48ウ）諌言したる若者は。十九歳にて討死せし義経公の御内に。四天王と名を得たる其一人の勇士也。

気ばやの大将御気色替り。ヤア諌めを入ルるは家来の役と。ゆうめんすれば付キ上り。佞人に迷ふとは存ン外千万。定メて錦戸兄弟が事ならん。威勢を妬讒言にて。佞人とは儕が事罷立。重ネては目通りへかなはぬと。以の外ヵの不機嫌にて御座を立んと仕給ひしを。驚御裾にすがり付。情なき御諚御通リへ叶はねは切腹するより外はなし。たとへ御手に懸れば迚。申かけたる我諌ン言露計リ聞入レ給はゞ何か命の惜からんとひたすら諫る一図の忠義。返答もなく立蹴（げ）に蹴やり。イサ兄弟（49オ）奥へこよ。一献汲んとの給ひて。御座の。一ト間へ入リ給へば。亀井は余りに興さめてしばし。彳（たゝずみ）詠ゐる。

錦戸伊達はあざ笑ひ。ア、弁へなく出るまゝのほうげた。佞人の。悪人のと。人をそねむ報（むくい）にて。君の不興を蒙りながら。のめ〳〵生キてはゐられまい。恥を知ラば切腹せよ。兄弟是にて見物せんと。さもにく体成ル一言ンに。こたへ兼てくはつとねめ付。ヤア儕レ等が性根にたくらべ。威勢をうらやむ讒言（さんげん）とは。きつくはい成あごた骨。引キさいてくれんずと飛かゝらんとする所へ。ヤレ待給へ亀井殿。いふ事有リと泉ノ三郎。じつ〳〵と立出れば。さしも血気の六郎が大老の詞にめんじ。残念ながら猶予の体。其間（49ウ）に近く歩み寄リ。六郎申。若ふござるよ。御異見（ゐけん）が一図（づ）なゆへ却（かへつ）て御前ンに聞入レないは。君が踊リを好給ふゆへ。錦戸伊達の御兄弟。よい年してさへやつこ踊。其元もなぜ踊リ給はぬ。御自分ンが其かたくろしい心ゆへ。きむら。〳〵と浮（うき）名を取は。ア、若気ゆへハ、、、。たしなみ召れと。兄弟が耳に釘さす詞に亀井は

〔色〕猶せき立。〔詞〕イヤサ。御自分ﾝまで踊ﾚとは。踊が国家の御為ﾒに。
成ﾙ共〳〵。もゆる火をけさんとて水をかくれば猶さか立。さかん成ﾙ火を納(おさむ)るには又。火(ひ)を以ﾂて消(け)す道
理。ナ。爰を能ｸ得心有ﾚ。去ﾙによつて某も。御前ﾝにて一ﾄ踊ﾘ致さんと存れ共。君の音頭は古風(こふう)なゆへ。
道念(どうねん)ぶしのへん（50オ）尽(づくし)がよかろうと思ひ付ｷ。日本一の音頭(おんど)取ﾘ。五斗兵衛を同道致した。此音頭で踊
る時は。いか程大ｷな踊でも墜伍(たいご)を乱(みだ)さず一致しで。進退(しんたい)かけ引ｷ心の儘(まゝ)。追付是へ来るべし。君に此事
申ｼ上。〔地ウ〕はやし方の手配(くばり)せん。〔ウ〕其元ﾄは帰宅(きたく)にかへり。〔ハル〕踊ﾘの用意あらまほし。〔ウ〕御前は拙者に任されよと。
〔ウ〕智勇をかねし三郎が。教(おし)へに亀井も〔色〕胸落付。〔詞〕ハア驚ｷ入ﾂたる踊のさいばい。音頭取の物好ｷ迄承つて安堵(あんど)
せり。〔地ウ〕万ﾝ事貴公に任せ置ｹと〔ハル〕立上りしが兄弟を。〔ウ〕にくしとや思ひけんふり返つて両人を。ぐつとねめたる
目付ｷのこはさ。〔ウ〕見ぬ顔すれば六郎も〔ヲクリ〕我家へ〳〵こそは立かへれ。
〔地色ウ〕泉ノ三郎跡見送ﾘ。（50ウ）ア、〔ウ〕頼もしき若者と。〔ウ〕心に深(ふか)く感(かん)じながら。〔ウ〕兄弟が前を摺抜(すりぬけ)て。〔ウ〕挨拶(あいさつ)もなく義

フシ
経の。御座の一ト間に入にけり。

地色ハル 跡に兄弟鼻(はな)つき合。色 コレ兄者人。詞 権ノ頭を始メ忠義達テするやつ原大かたに押シ込。残つた泉と亀井めがけむたくてならなんだに。先一チ人は半ン片付。次手に泉ノ三郎めも。押込メる思案はないか。有ル共〳〵。きやつが今いふ五斗兵衛。根が目貫の細工人。生れ付ての底(そこ)ぬけ上戸。酒をくらへば乱(みだ)れ出し。一ッ斗が二斗三斗限(かぎ)りもなき底ぬけゆへ。誰カいふとなく五斗兵衛。本性を失(うしな)ひ何の役(やく)に立タぬやつ。それを見込ンで一つの方便(てだて)。五斗めがうせ（51オ）たる時キ。目見へせぬ内酒をくらはせ。地ウ 馬鹿(ばか)つくすを越度(おちど)にして。きやつは勿論(もちろん)三郎めも。ざんげざゞらに云ィちらし。色 追ィまくつて仕まふたら。ウ うつそりの大将は立(たて)ふと伏(ふせ)ふと我々次第。ウ 必ぬかるな弟と。ハル 人をそこなふわるだくみ。ウ コリヤ上々の御分別(ふんべつ)。色 気遣ィ有ルな拙者に諸事をお ウ

ヲクリ
任カせと打連レへ奥へ入にける。

地色ハル 暫く有ッて五斗兵衛。中 二タ度花咲ク会(くはい)稽(けい)の錦(にしき)にあらぬ出立ばへ。ウ ハル 木綿どてらに麻上(あさ)ミ下藤巻柄(ふじまきづか)の大小を。ウ 色

さすが名高き軍師とは。みすぼらしげに見ゆれ共。細瑾(さいきん)を返リ見ぬ大丈(じやうぶ)夫。笑ふもそしるもなん共なく。

御座の間近く入リ来る。

伊達ノ次郎出向ひ。ヤア（51ウ）珍らしや五斗殿。先達て承はれば改メ御名を聞には及ず。手前は伊達ノ次郎と申者。万事貴公の御引廻しに預りたし。コレハ〳〵詰講な御挨拶でござります。新ン参の某諸事此方からお頼み〳〵。サアお手を上られい。扨もお堅(かた)ひ事では有ぞ。サ、いざ〳〵と。互ィに礼義をなす所へ。

銚子(てうし)盃。携(たづさへ)て。妼頭沢田が立出。錦戸様のおつしやりますは。是は御前ンのお盃キ。どふ成とよいやうに遊ばせとの御口上。ム、我君のおながれか。イヤサ是五斗殿。御辺が酒を好(この)まるゝと聞シ召。義経公よりお盃。ナント一トつ参らぬかと差付れば。やけ石の飛(とび)付程に思ひしがちやくと思案し。（52オ）ア、いやで候こりて候。まだおめ見へも済ぬ内。先ツよしに仕らふ。ハテそれは気ノ毒。達ツてとは申されぬが。すいた物を呑ぬといふは。ア、其元に似合ぬ愚智(ぐち)の至り。しかも此酒は隅田(すみだ)川の諸白(もろはく)。油のやうで和(やは)らかな我等が仕合たべませふと。盃取ッて一ぱいつぎ。ぐつと呑ば咽(のど)ぎつくり。うら山しげ成ル顔付キに。又盃に丁ど受。コレ此かざをかヾつしやれ。トレ〱。ム、ウ甘(うま)くさい〱。次手に爰へと口もとへつき付れば。猟師(れうし)のわなにかゝる狐(きつね)の油揚(あぶらあげ)。いつそ儘(まゝ)よとずる〱〱。ヱコリヤたまらぬ。次ィ手に最(も)一つおさへも給(たべ)ふ。イヤなんぼ成共聞しめせと銚子(てうし)渡せば追取ッて。ついでは呑〱。いやはやどふ（52ウ）も申されぬ。詰講(けつかう)な御馳走(ちそう)と。そろ〱乱(みだ)るゝ舌(した)あんばい。してやつたりと伊達次郎。何思ひけん挨拶(あいさつ)なく一間の内へ欠(かけ)入たり。

是はどふじや。盃の埒(らち)も明ヶず。亭主(ていしゆ)がはつして座敷は済ぬ。どこへ〱と見廻す内。五斗兵衛に対面(たいめん)と。大将九郎義経公ひたゝれに折烏帽子(おりゑぼし)。泉ノ三郎先に立御広書院(ひろしよいん)に出給へば。引つヾゐて錦戸兄弟威義(ゐぎ)を。繕(つくろ)ひ座に直る。

五斗兵衛はしろりと打守り。コレハ皆様よふこそお出なされましたなあ。コリヤかゝよ。ソレたばこ盆(ぼん)。

地ウ ヤレ釜の下も焼付(たき)ケよと。ハル 我家と心へ馳走(ちそう)ぶり。ウ 泉はハツト仰天し。色 ウ 扨は錦戸兄弟が酒をもりしに極つたりと。ウ 悟(さと)り（53オ）ながらも此場の難義(なんぎ)。色 シツ〳〵しと鼠をおふごとく。ハル 目顔でしらせどしろりくはん。ウ

ウ 義経遙に見下し給ひ。色 詞 三郎が進(す)めし軍師。五斗とは彼レが事な。いにしへ。漢(かん)の韓信(かん)を高祖始て見し時。得たる諸芸(けい)を尋給ふ。地ウ 其例有ば尋てみん。ハル ソレ〳〵兄弟聞ィてみよと。ウ 仰に出しやばる錦戸太郎。色 詞 コレ〳〵五斗殿。六韜(りくとう)三ン略(りやく)をそらんぜしか。明ィ白にのべ聞されよ。ヱナンジヤ。六韜三略。我等すつきり存ぜぬでゑすは。ナンジヤしらぬ。ホイ。見事な軍師の。然らば武芸(げい)は。武芸か。コリヤ又武士の表道具でゑす。先ッと。弓鑓鉄炮馬乗事。剣術(けんじゅつ) 体術(たい)ひつくるめ。すつきりとしらぬでゑすは。ナント（53ウ）きついものか。先一ッ体根がきらひでゑす。知ラぬでゑす。右の通リの仕合ゆへ。何をさせても埒明ぬでゑすはい。地ウ 菟角(とかく)すきなはコレ〳〵と。ハル 又引ッかゝへ呑ム酒を。ウ 手に汗(あせ)にぎる泉ノ三郎。フシ 胸をいためる計也。

地色ハル 大将甚(はなはだ)立ッ腹まし〳〵。色 詞 かゝる浮世のすだれ人。我レにすゝめし三郎が心底こそいぶかしさよ。ハア御尤

の仰ながら。昔より云ィ伝へる智者の一ッ失とは此事。酔さめて後。軍術の奥儀を尋ネ見給へと。いひも切ラせず御色替リ。コハ心へぬ一言。スハ。一大事の場所に成ッて。五斗が酒に乱れしとて。正気に成ル迄待ッべしと。敵が軍を延すべきか。言語にたへたる麁忽の云分。此義経を嘲のか。軍師（54オ）とは思ひも寄ず。アレ引キ出せと怒の面ン色。重ネて何の御諚もなく。座を立奥へ入給ふはにが〳〵。敷ぞ見へにける。

錦戸兄弟ゑつぼに入。アノやうな極道を。軍師じやのおんど取リのと。目利なされたお方が見事。よふ合点の行様に誰レか有アノ生酔め。たゝき出してお目にかけよと云捨。一ト間へ入ければ。

下知に下部がはしたなくたゝき出せの人音を。泉ノ三郎聞カぬふり。たとへいか程働ラく共きやつらが手に合ッ五斗にあらず。万事の思案は館てこそ。ヱにつくきやつは兄弟成レど。悪人を相手に隙づいやし。無益の論と誤りを。身に引受ケて帰らるゝ。

程なく出ル雑人原。手ン々により棒引ッかたげ。しどろもどろにかけり出。あんな（54ウ）たはいな酔だをれ。軍師とは事おかしい。道理かな元が職人ン。商売が目貫師ゆへ人の目迄ぬきくさる。異見の為メにどこもかも。たゝきゆがめて追イまくれと立寄をどこへ〳〵。御馳走のより棒。酒で下地がじうまん。モウ望ミないでゐすは。ナ。扨と。貴様方がしかるによつて。是からは軍者をやめ。元トの目貫を仕るじや。ほしくば一対おまそかな。コリヤ談合がおもしろい。しんじつにくれる気か。やる共〳〵。ぶつてさへ下されねばいくらでも安ひ事。シタカ。目貫も品々有リ。迚もの事に直段付で細工のもやうを語つて聞ふ。どれ成共お望みなされ。　先ッ富貴成牡丹の花に。たはむれ遊ぶけだものは。大かた四々の十六文。月に（55オ）うさぎは子持チの証拠さんごを。かけて十五貫。猫はにしんが。八百匁。狸は金ンで百疋也。つなぎ馬は相場もなくめつたむしやうに太イこ付。猿は。三十三貫三百三十三文なり。　紋づくしなら桐のとう。五七両から五三両。毛彫は。かゝが重宝で。お望ミなれば。へ、、、三百匁。其外カ家の三番三。お望ミ次第好キ次第と口に任せて言立る。

ハレヤレ〳〵どれもたかひ目貫の。迚もらはゞ三番三。くれる事は成ルまいか。成共〳〵とれやろと。鼻紙袋(はながみぶくろ)取出し。中をはらふてあたまにすつぽり。かづけ物ではこさらぬぞ。イテ三番さうが所望なら。何より以ッて安ふ候。さあらば一トつ。参らせんと拍子をふんで。ヤアヲンハ〳〵（55ウ）はづむ拍子に下部もうかれ。烏とびやら横とびやら。うつゝぬかして付まはすを。ヱイヱイ〳〵とつきとばし足に任せて　〽立帰る。

請継(うけつぎ)し武門の栄(さか)へきらめきて。庭(には)の木草の落葉かく座敷廻りのはき掃除(そうぢ)。はうき片手にはやり歌実も泉ノ三郎が。館と知レていさましし。

女子仲間のべり〳〵頭ラ。お鈴(すゝ)は何がな鈴ふりに。コレ我身達。此間から御屋敷へ女夫に娘三人連レ。五斗とやら八斗とやら。へちまのやうな浪人衆。お客〳〵と大事にかけ。めつたむせふに御馳走なさるゝ。どふでも訳ケの有リそな事。みんなは何も聞やらぬかと尋れば。口ばしの長ひ鷸(しぎ)野が羽繕(はづくろ)ひ。何いやるやらとこに有レが（56オ）浪人衆。もとは目貫の彫物師。兵法や軍法が上手なゆへ。大将に成といの。しかも今日はお目見へとて。旦那様と御同道。それ程軍が功者なら人の見ぬ間の夜軍も。大体の事では有ルまい。ナントそふは思やらぬか。なんのいの。目貫師なら高がしれた。お内義の穴彫のと。馬事するは上手であろが。本ンの馬に打乗て切あひは覚束ないと。遠慮ゑしやくもかげ言の仇口々ぞやかましし。おりから奥より泉が妻。そたちもかたき岩浪が。障子開ィてあゆみ出。コレハ〳〵さがなし聞にくひ。尤是迄職人にて。大津の里にお住居なれ共。根が木曽殿の御浪人。氏と（56ウ）いひ武芸といひ。唐土の張良にもおとらぬ武士を抱へたとて。連レ合の悦び。義経様の御為には。日照に雨を得たる心。様子も知ラいで見苦しいかげ言。おかもじや娘御の耳へ入ッてはこちとらが。共々にもそしるかとさげしまるゝが恥かしひ。重ネてをたしなめと。いつなき詞の張合よく。関女は娘を。伴ひて。何心なく奥より出気の毒顔に是はしたり。どふいふ事で奥様の御きげんがそこねしぞ。少々の誤りなら。慮外ながら。わたし共にめんしての御了簡。常から詰講なお方能々のお腹立。アイ誤つた申てゞござります。御堪忍遊ばせと受つ答へつ追従まぜり。我身の上の噂とは。しすまし顔に（57オ）侘口上。傍で聞さへ笑止也。岩浪いとゞ迷惑さ。コリヤ皆の者けふはあなたの御挨拶。了簡するぞ勝手へ立ﾃと。云ﾌに幸ｨおかしさを。怺へ兼たる下女はした。吹出しながら走ﾘ入。

娘は母の袖を引。と、様は何方へのお出まだお帰りもなさそふな。待兼ますると尋ぬれば。ヲ、わけを咄して聞さぬゆへ案しるは尤。イヤ申奥様。かやうに申せば夫ﾄの事を申やうでわるけれど。七八年も連添て。万事に心を付ヶますれど。大酒呑でたはひのないのと。目貫を上手に彫より外の。芸は何ﾝにもない人。軍師とやらになさる、とて三郎様がいかひお世話。仕付ヶぬ事を致されたら。（57ウ）明ヶても暮ﾚてもしぞこないだらけ。終おあいそも尽ふかと私が案じ過し。御推量下さりませ。殊に今日はお目見へに早々から御同道。とふぞ首尾よふ埒明ｨて。有ﾘ付ｶれたらよござりましよと。いへば岩浪ゑしやくして。是は扨ひげをしての御挨拶は尤じやが。お気遣遊ばすな。夫泉の三郎も堀川の御館では。隠れもない武士。ついに是迄そさふを言ハず。しめくゝりがよいゆへ。ありやさなだの平打紐。アノ人の言事なりや。六文銭をにぎつた様なと。人の噂に乗ル程な堅侍イ。見込がなふて世話やく物か。目がねに違はず御立身さらりとしゆびして（58オ）お帰りなさりよ。御不自由なは今少コし。御しんぼう遊ばせと。奥底もなきねんごろに。

なふ娘今のをきゝやつたか。いかひ御苦労かけるじやないか。誠にそふと親と子が悦び勇ム折も折。殿様のお帰りと。下部が呼はる声につれ。

いつに替りて泉ノ三郎。畳ざはりもあらけなく不興顔にて立帰れば。只ならぬ体気遣ひさ。ヤお下リか我夫と。女房がゐしやくに返答なく。ずつと上座へ座したる有様。小気味わるさに五斗が妻。娘をそつと引ッ立て。物をも云す岩浪が。かげへくゞまり居たりける。

〔地色ハル〕三郎ほつと〔色〕溜(ため)息つき。〔詞〕ハツア誠や。智者(ちしや)の一ッ失(しつ)とて。古語(ここ)に違(ちがは)ぬ一トつの疵(きづ)。（58ウ）古今不双の侍ィなれ共。酒といふ大病には。扁鵲が薬リも叶はず。情ヶなや五斗殿錦戸伊達が計略にのせられ。いつの間に呑れしそ又例の大酒。とろつへきに成テ御目見へ何をお問なされても。存セぬしらぬとたはいのたら〳〵。〔地〕御前ンの首尾はさん〴〵にて有リ付は扨置。〔ハル〕雑人ン原にた丶き出され。〔ウ〕見ぐるしき振廻。〔詞〕今日迄人に笑はれぬ某もめくら同然のそしりを受ケ。〔地ハル〕面目を失ひしと語れば〔ウ〕驚く泉が妻五斗が妻子も仰天し。〔フシ〕あきれ果たる計也。

〔地色ハル〕岩浪さはぐ胸なでおろし。〔中〕〔ウ〕夫レは気ノ毒去ながら好でなされし誤リならず。〔詞〕よしなき人の世話やいて。〔ウ〕骨折リそんじやと思ひながし。深ふお気もじ（59オ）〔ウ色〕なさる丶な。〔ハル〕いか様元は侍のはしくれても有たげなが。〔ウ〕浪人してから〔色〕さもしひ暮し。〔詞〕本ンに氏より育とて。心迄がいやしう成。〔地ウ〕役に立タぬ人間に〔ハル〕とやかふ胸を痛めすと奥へ〔ウ〕ゐて少(ちと)お休と。〔ウ〕心を付れば〔中〕泉ノ三郎。実草臥しと立上るを。〔ハル〕五斗か女房傍へ寄。〔詞〕シテ其夫トは何方になせ連立ては下さりませぬ。ア、サレハ〳〵。同道にて帰らんと致たれ共酔つぶれて正体なきゆへ跡に其儘捨置キしが。定メて追ッ付帰りめされふ引とらへて異見をめされ近比笑止千万ンと。思案を胸にこめながら。詞ずくなに不興して夫婦はヘ連レ立入リにける。

跡に親子が顔見合。泣も泣れぬ。夫が噂とやせん。かくやと物思ひ。案じ煩ふ（59ウ）折こそあれ。

五斗兵衛は熟酔に。箒の先キへ二升樽くゝり付たる足元トは。たゞよふ船のひよろ〳〵〳〵。しどけなりふり浮れ声。ヱイ〳〵ヱイ此さんさ。池のはた成ルどうがめが独リは穴へごそ〳〵と。ヨイづぼにぼ。ヨイづぼにぼ。づんぼづぼ〳〵友を呼候。つぼゝにぼに〳〵づぼにぼ。八岡崎女郎衆。〳〵。岡崎女郎衆はづぼにぼ。アラ面白のづほゝにほ。ハ、、、。ア、呑ンだのんだ。あてほうめがせうがの様な手を出して。一ッけんしよ〳〵とぬかした。おれも又いかひたはけ者じや。そんならしようかてゝ。一ッけんとんちきすとんと受てのけた。とかく酒でなければ夜が明ケぬ。酒は愁のはうきといへば。はうきにのんだといふ心で。かやうに出たち（60オ）候ぞや。ハ、、、無理か。〱無理でなかさらば座敷へ参らふと。一間へ通りこは作り。誰レぞゐるか。お客罷リ戻ッたぞ。ヤアゑい。やつとこなの相伴（しやうはん）せふと。又引ッかゝへ呑ム有様。女房見かね走リ寄。コレ五斗殿。マア時も時折リも折。一世一度の出世の場所。棒だらの。イヤ喰（くら）ひだをれと名を立られ。無念ンにはないかいのふ。くやしうは思はずかと。せりかくれば。コリヤ女房。無念なじやによつてたべたじやて。ナ。サイのふ。其たべたゆへに引出され。赤恥（あかはぢ）をかいたではないかいなふ。ソリヤ誰（たれ）が。ハテこなたが。ハレやくたいもない事を。ソリヤ祐成（すけなり）で御ざる。なじよにとらと祝言（しうけん）の盃はさしやました。御前ンて伊達（60ウ）兄弟がいかひもてなし。いんで休メてゝ引出された。ナ。娘よきついぞ。あすからは我レを馬にのせて。嗅（かゝ）を乗物にのせて。我らが舁（かく）じやてに。ナ。祝ひ事に又いたそと。樽かたむくれば。女房興さめもぎ取ッて涙を浮め。ヘヱ、浅ましひ。口はそれ程かはいひか。恥を恥共思はぬ生酔（なまよい）。さほどにあろ共思はずに。娘を連レてよめりし此かた。五年余りのしんぼう。又してもく呑過(のみすご)してのしぞこなひ。ほつとあいそもつき果た。こなたが何の以前が武士。竹のふしか木のふしか鰹(かつを)ぶしでもあるまいと。恥つらか丶せどきよろりが味噌。コリヤ出かした。ふし尽(づくし)どふもいへぬ。とてもの（61オ）事に小歌ぶしで一ぱいしかけふ。　備前岡山新太郎様が。江戸へござらば雨風あられ。雨じやござらぬ新太郎様の。恋の涙がヤレコリヤ雨と成ル雨となろよりおれは酒と成がよい。コリヤきやらめ。あいしをらぬかおさへると。しなだれか丶るを取ッてつきのけひつしよなく。ヱ、こなたはの。迚も其根性で。女房子のめんどうを見届る事は成ルまい。よいかげんに隙おこしや。さり状か丶そと床の間の。硯取ルてもこらしめと。思へどつよき詞の角。娘は悲しく中と丶様。今からふつつり思ひ切。酒呑ぬと云フてたべ。拝みまするとゆりおこし。嘆く間に硯をつき付。此後酒をとまる気か。それが（61ウ）いやなら去状を。書ィておこしやと引起せば。マアくよいはい。せはしない者じや。我レが其やうにつれない事いふけれど。おれは我レがかはいひてく。昼(ひる)も涙夜も涙。泣　ぬ日とては一日片ソ時もないはいな。

〔詞〕ヱ、其あだ口もきゝあいた。〔地ハル〕去状早ふとせり〔ウ〕立られ。〔詞〕夫レ程ほしか書ィてやろ。跡で必(かならず)悔(くやむ)なよ。ヲ、置ィてたも。悔(くや)みやせぬ。ホ、きつふ張(はり)がつよひな。夫レもおれが合ッ点じや。〔サハリ ハル〕女のなづむ風俗(ふうぞく)のよい殿御を〔詞〕持トと思ふて。〔地ウ〕そんならどれと〔ハル〕硯引寄セ。〔ウ〕お定リの三行半(みくだり)ン。〔詞〕ナ望ミの文言ン。是でよいか。シタカ。五斗が隙やるのにたゞやつてはふんが立タぬ。コレハ是。重代の（62オ）腰の物。あをい下坂。百三十二文で買たけれど。暇の印に持ッて行ケと。〔地ウ〕九寸五分を投(なげ)出し〔ハル〕云分ンないかと〔ウ〕又ころり。寝(ね)るより早く高いびき。〔フシ〕前ン後も知ラずふしにけり。

〔地色ハル〕娘はぐはんぜも〔ウ〕涙にくれ。〔色〕おろ〳〵するを〔ウ〕コレハしたり。是は母がこらしめ。〔ハル〕異見(いけん)の為に取ル暇。〔ウ〕目が覚(さめ)たら常(つね)の通リ。〔ウ〕やつぱり替(かは)らぬ女夫の中。〔ウ〕泣ク事ないと娘をすかし〔色〕間の襖を引キ明ケて。〔ウ〕出んとするを〔ハル〕岩浪が。〔ウ〕お内義待ッたと〔色〕走リ出。〔詞〕此生酔を残し置キ。そなた衆計リ帰ろとはそふ甘(うま)ふは成リますまい。〔地ハル〕お連合も引起(おこ)し連レていんで〔ウ〕もらひましよと。〔ウ〕呼とめられて五斗が女房。〔色〕むしやくしや腹にどつかと座し。〔詞〕コレ（62ウ）

奥様。イヤ泉ノ三郎様のおかもじ。こちの男が酒呑の。たはいなしと云事は最初から知レて有ル。夫レを爰の御亭主が目も明カぬ形をして。見込の有ルの取次のと。めつたむしやうにそゝり上。住なれた大津の里身体をたゝませて。今ではどこも居所のないやうにして貰。忝ふてたまりませぬ。それに何ンじや。こちの夫トはしめくゝりがよい故。泉ノ三郎とは人がいはぬ。さなだ〳〵。さなだ紐のイヤ六文銭のと自慢たら〳〵。是がどこにしめくゝり。ひよんなお人に見込レてこちとらが迷惑。あげくの果に縁切レて去れたら他人むき。構はふ理屈は（63オ）ないはづ。酔だをれはあたまから呑込ンでのお世話。やつかい次手にどうなと御勝手。アタ面倒なと出ほうだい云ィたい事を云ィ破り。サアこい娘と引立て。次キの一ト間へひつしよなく。気強出るは出たれ共心もとなさ気遣さ。暫し小かげにたゝずめり。胸はせきくる。岩浪も。五斗が妻に云ィこめられ。歯がみをなしてゐたりしが。よし〳〵是からこつちも意地。生酔を引出し諸人に顔をさらしてやろと。やら腹立に立かゝり。テモじゆくしくさい。是程にのまいではと両足取ッて引ずれ共。女の力に叶はゞこそ。ヤア家来共早ふこい。此生酔たゝき出せと呼立れば。
（63ウ）ヤレ待女房。用事有と声をかけ。鉄炮引さげ泉ノ三郎。一ト間の内より立出て。
唐土の劉河間は。四百余州に並ヒなき。博職多才の名医なれ共。酒を好が一トつのきづ。五斗が酒を好める
も。是にひとしき疵の内。さのみ武勇の疵にも成まじ。古今に秀し猛勇とにらみ付たる我眼力。見損じた
るか心見せん。そこ立退と追退〳〵。火ぶたを切ッてねらひもなく。どうどはなすから鉄炮。ひゞきに五
斗はむつくと起。ア、ラぎやう〳〵しや。今。打チし鉄炮は。陰にはなれ陽にはづれ。筒に音有ッて向ふに
音なし。扨は。玉なきから鉄炮。何者の仕業ぞと四方を（64オ）きつとねめ廻し。勢替つて立たる有様。
実修に云伝ふ心がけ有ル侍は。轡の音に目を覚すたとへを引も愚也。
扨こそと泉ノ三郎。すかさず寄ていかに五斗。今ひゞきたる鉄炮の。五音の調子はいかに〳〵。ヲ、尤の
御尋。乾坤二つの間をぬけ。不吉の調子離の中断。中断ンとは中をたつ御兄弟の御中も。讒者の為に断き

れて。鎌倉の怒(いか)りつよく大軍ン追付責(せめ)来らん。油断(ゆだん)する所てなし。ホヽ左ほどの御辺が何ゆへに。錦戸伊達が。計略(けいりやく)に乗られて。大酒に正気は乱(みだ)れしぞ。イヤサ〳〵。病と知ッて盛ル酒を。呑ずは却(かへつ)て世にへつらひ。録をむさぼる族(やから)といはれん。(64ウ)名利に放れし此五斗。いかで愚人の心を背かん。一つは又。主君の心引見んための事成ぞや。ハツア頼もしく〳〵忝し。然らば以前ンに頼みしごとく。一ッ方ふせぎ給はるべきや。ハア御念ンに及ばす兼ての契約(けいやく)。君の心はうすく共。貴殿の忠義厚にめんじ。いかで。違背(いはゐ)の有ルべきぞ。軍サの用意イサお出。御尤と両人はいさんで一間にかけ入たり。

岩浪は二度びつくり。テモ扨も天晴(あつぱれ)の侍。目利(めきゝ)した夫トも夫。そろひに揃ひし弓取リやと悦ぶ襖のあなたには。五斗が妻も興(けう)さめ顔。かほど功有ル武士と。しらで暮せしくやしやと。せんぴを悔むさり状に。今さら何といひよらん。仰なければ思案して襖を(65オ)へ押明おづ〳〵と。

娘が手を引。差足に。あゆむ畳の目に涙。つゝむ心の恥かしさ何といひ寄詞さへ。俄に作るけいはく笑。

ホ、、、へ、、、、。まあ〳〵わたしとした事が。七八年も連添て。あのやうに武芸の有ル男とは。夢さんぼう知ッたら何の暇を取リませふ。ひよつとした腹立まぎれ。ア、是お内義やかましい。とつと、ゐんで貰(もら)ひませふ。アイ。お腹の立は御尤ながら。行所もない身の上。常は何程詰構(けつかう)でも。退(のく)の去ルのといふた跡。直に侘も致しにくい。慮外ながら詞を添られ。中直しして下さりませと手をつかゆれば突退(つきのけ)て。コレ女中。きついこなたは千枚ばり。めん〳〵が（65ウ）勝手(かつて)づく。無理に取ッた暇じやないか。いかにアノ五斗殿が。今ぞ誠の武勇をあらはし一ッ方の大将を請取。出世の身に成給へばとて。一旦暇を取ッた身が。又そひたいとはどの顔で。殊に最前(さいぜん)いはれし通り。こちの夫泉の三郎は。目の明ヵぬひよんな男。其女房に侘言(わびこと)を。お頼ミは御無用と。持ッて参つたあたり口。そふおつしやると私は。爰で穴へもはいりたい。とにかく慈悲(じひ)は神々の。御罰(ばち)を請る法も有レしんじつ縁を切ル心で。書せて取ッた去状ならず。こらしめに異見の為。其訳ヶをよふおつしやつて。夫トの得心有やうに。お侘を頼む奥様。コレ手を合せて拝ミますと（66オ）

涙を。こぼし頼むにぞ。
傍に娘は聞づらく。こたへ兼しか最前に。五斗兵衛が渡シたる暇マの印シの相口を。抜クより早く我と我。胆
のたばねを一トゑぐり。ナフ悲しやと母親が。あはてふためき取付ば。岩浪も仰天し。何ゆへの自害ぞと
そゞろ。驚く其ひまに。
こなたをひらき泉ノ三郎。絞纈の鎧直垂。あなたの一ト間は五斗兵衛。紫すそごの割小札。小手脚当も花
やかに。金のざい銀のざい。打振〳〵出立て。床几にかゝりし二人が行相めさまし。くも又いさぎよし。
手負は苦しき息の下。父を見上見おろして。嬉しき中カに涙ぐみ。ヘヱ、浅ましいは母様。いかに是迄世
渡りの。貧き煙リに苦しみて。見苦（66ウ）敷ク暮せしとて。なせそれ程に心迄。さもしうは成給ひしぞ。
たつた今迄父上を。もつたいなくも畜生の。喰どれのとにくて口。お前はよふもいはれしぞ。吾妻にござ
る兄様の。お耳へ入ッたらさぞ腹立。其上無体に去状書せ。望んで暇を取し身が。御出世の姿を見て。又

添たいとの侘言を。聞入なき奥様を頼み。見苦しい追従の有ㇼたけ。今ては本のか、様より。他人のと、様がいとしい。侘する手間でさつぱりと。なぜにしんで下されぬ。わしやあんまりの恥かしさに。おまへの替りに死まする。先達ッ不孝は赦してたへ。申と、様。母さまとは縁切ㇾよ共。私はやつぱりおまへの子。娘と云て下さんせ。おもひ（67オ）出しては折々の。御ゑかう頼み上まする。是ばつかりが此世の願ひ。もふ物いはして下さるな。苦しいわいのと計にてもだへ。嘆くぞ哀れなる。

聞にせき女は気も狂乱。よい手な事を云訳ヶに。するやうでわるけれども。わしも五斗兵衛が妻。恥をしらいで何ンとせふ。最前侘をせぬ内に。自害せふとは思ひしが。跡でそなたがみなし子の。流浪せんかと心の案し。顔押ぬぐふて叶はぬ侘。いつそ其時死ンだなら。今此うきめは見まい物。思ひ過しがけつく仇。堪忍しやと伏しつみ正体。涙にむせかへる。

五斗も目に持涙をはらひ。誠や聖人ンは有智の小児。小児は無智の聖人と。云伝へしに違ひなく。（67ウ）

また十三四の小児同然。殊更すなをに生れしゆへ。親の未練(みれん)を面ン目ないと。おもひ詰てけなげの最期(さいご)。
不孝ではない大孝行。やつはり子にして下されとは。ヲ、よふいふたなア。嬉しひぞよ。未来(みらい)永々大事の
我子。心の迷(まよ)ひ打はれて。成仏せよと跡いひさし。合掌せねど口には称名(せうみやう)。胸迄ぐつぐと突(つき)のぼす。涙を
見せじ。しらせじとこたゆる心の三郎夫婦。推量(すいりやう)しての貰(もらひ)泣袂を。しぼる計なり。
今はの徳女は目をひらき。其お詞を聞たれば。もはや浮世に望ミなし。とゝ様さらば。かゝ様さらば。
兄様にもよふこゝろへ。御息災(そくさい)でとつたへてたべ。(68オ)三郎様御ふう婦。是迄はいかひお世話。モウ
おいとまを申ます。名残おしやと計にて。刀をぬけば玉の緒のきれて此世を去リけらし。わつと計に母親
は。しがいにひつしといだき付前後。泣入ゐたりしが。
迚も娘がさげしみは百千万の言訳も。此世ではかひ有ルまじ。我も共にと相口に。取付を泉ノ三郎飛かゝつ
てしつかと押へ。娘への言訳に。自害せんとは何事。徳女計が御身の子で。兄の大三は子ならずや。死べ

き命をながらへて。ナ。東に下り。首尾能うばひ立かへり。五斗殿に手渡しあらば。夫ト へ立る心のみさほ。是にましたる事ある（68ウ）まじ。いかに〳〵とせいすれは。岩浪も力を付。御子息を息才で伴ひ給はゝわれ〳〵夫婦。二たび結ぶいもせの仲人。はやとく〳〵とすゝめられ。

是非なくこゝろをとりなをし。いかやう共御夫婦の御差図は背くまじ。只此上は何事もよきにと嘆きを押つゝみ。あゆみ出るを。五斗は声かけ。コリヤ〳〵女しはらくまて。はる〳〵吾妻へ下る共生死不定の倅大三。切腹して相果るか若。頼朝の手にかゝりむなしくならはいかに〳〵。胸をさだめて趣けと釘をさしたる夫トの詞。げにことはりとはしり寄。泉が最前ン打すてし。鉄炮小脇にかいはさみ。御尋に及ぶべき。（69オ）いづれの道にも息子の大三。相果しと聞ならは其折こそ頼朝は。我子の敵妹背の仇。たとへ年月経とても。鎌倉にはいくはいし。力業で叶はずは計略 智謀の仕様も有。鎌倉武士は色好み筒と出かけて口薬。咽の火ふたのかけがねのはづれるやうなうまみを見込。ほんといはせる二つ玉やはか仕損じ申べき気遣有ルな我夫といさめる体にこなたも勇(いさみ)。出かした行との一言が。直に門出のはなむけや。
心はやたけにはやれ共。娘の別レに後がみ引はかへざし弓張(はり)の。尽ぬ嘆キを押包。出んとしては。ふり返り
見るも。見するもなき玉呼ひ。無常の。風に盛リを待タで。吹散(ちらし)たる依者(ゑしや)定離。愛別。りくを今爰に残シて
出る都ぢや東の。空へと急行（69ウ）

第四　道行しぐれがさ

雨にきる。たみのゝ島とよみたれば。露もますげの笠はなどかなかるらん。笠と簑とに身をつゝみかくし
持たるたねがしま。姿をかへて小脇指五斗が妻は。恩愛と義理と情を一トつかね。ふたり共なき子の行衛
おぼつか。なみの夜をこめて。鎌倉山へと尋行。こゝろの〽内ぞ。はてしなき。

しよていかまはぬ出立ばへすあしに。わらぢ引しめてむすぶ庵のわび住居。ふせやの床とよそに見て狩人。（70オ）ならぬとりなりも。人めのせきの。忍ぶ草。しのぶもぢずりたれゆへに。みだれそめにし我か思ひは。子の命。たへなば敵。なからへば伴ひ帰り我夫ﾏとひよくれんりのそひふしを。思ひいさみてちよこ〱走ﾘ。はしりついたる。みなくちのはを。ふせぎ兼たる雨の足しばしはれまに〱すがみのやかさを取ﾘ。みやきのゝ露さのゝ雪それさへ笠にしのげ共。身一つにふる。さよしぐれ袖のたきつせ血の涙。目もくれないに染なすは。紅葉笠とや名もしるき。つれなき色のまつかさもかたを。休ﾒの慰ﾐに東の空へ家（70ウ）づとゝ。並木の枝に目を付ｹてねらひすませしたねがしま。火ぶた切ﾙ間にひよ鳥がふいととんだるつばさの音に。胸はだくぼく坂の下。登ればさつさくだればさつさ。さつさ先退先のけと手もふる。里を見かへりて。ひきもどさるゝ。後がみ。いとゞ道さへはかどらず野べの。薄の重りてそよと。風を便ﾘにふなよばひ。宮の渡しも月影やもに住ﾑ虫の。かはひらし実ねをさへて。ながめをにのふ田子の浦ふじの。けふりを。跡になし。はる〳〵爰に。清見がた。箱根の峠こゆるぎや田面にみのとかゞ笠を。きたる姿はげにも実。名におふしづが（71オ）はな笠。ぬふてふ鳥のつばさには。かさゝぎも有明の。月の笠にそでさすは。天津乙女のきぬ笠。それは乙女是は又。しづのめの。〳〵。かづく袖笠ひぢ笠の。雨のあしべのみだるゝ初しぐれあなたへざらり。こなたへざらり。ざらり〳〵ざら〳〵ざつと。風の上たかふるすだれはてしもなくて又ふりかゝる。雨の音。みの着ていそげ。笠きてヤレ。いそげ。いそぐたびぢもわが子の。よはひ。いのるは。千代や万ねんの。亀がやつにもほどちかき小松。坂にぞ　〽着にける

（71ウ）

兄弟親まざるは他人の始メと諺の当れる哉。頼朝義経御中呉越と隔たりて。鎌倉よりの討手には梶原平三景時。数万騎を引卒し早先キ勢は粟田口日の岡辺に満々たり。

堀川の御館(みたち)にも五斗亀井は敵勢の。道を切ラんと近江路や志賀辛崎(しがからさき)迄出張(でばり)して。跡に残るは泉の三郎物の具かため士卒(しそつ)を集め。ヤア／＼汝等。敵は大勢味方は小勢。此度の討手は並々(なみ／＼)にては防(ふせが)れし。某思慮(しりよ)を廻らして。敵を欺く(あざむく)計略(けいりやく)有リと云所へ。妼沢田走リ出。中々三郎様。仰の通奥を覗(のぞ)ひて見ましたれば。殿様は例の御酒宴(しゆゑん)。（72オ）静様の膝(ひざ)を枕におよつて御ざるが。あの跡をまちつと覗ィて参りましよと云捨て走リ入。

ヱ、いか程諌(いさめ)てもア、是非(ぜひ)もなきお身持と。歯(は)がみをなして立たる折しも。間近く聞ゆる鯨波(ときのこへ)スハ事急(きう)に及ヒたり。方便(てだて)の様子蜜(ひそか)に語らん。門ン々しめよと引連レて皆々。内に入にけり。

程なく寄セ来ル鎌くら勢。一面ンに充満(じうまん)しときをどつとぞ上たりける。御館にはときをも合せず。門押開(おしひら)き洒掃(さいさう)し。物見の玉だれ高々と色をこめたる琴三味線。大将始諸軍勢もけでん顔。番場ノ忠太進(す)み出。少シもためらふ所でなし。寄手を迷(まよは)さん為。智略(ちりやく)らしくあまへて見せる化し事。続(つゞけ)や（72ウ）者共先陣は番場ノ忠太と。かけ入所を景時おさへて。イヤ〳〵恐るゝには徳有リ。あなどるには損(そん)有リ。乗リ込で不覚(かく)をとるな是におり敷キ敵の変(へん)をうかゞふべし。ヤア〳〵兵共。必々女の色にうかさるゝな。琴三味線にのする共乗ルまいぞとせうぎにかゝり。やかたをにらんで控(ひか)へたり。

静御前は目もやり給はず。泉がてだてをのみ込で。敵の心を融(とらか)せし。感陽宮(かんやうきう)の琴の音を思ひ出し。柱(ことぢ)を律(りつ)に立かへて。七尺の屏風をこへし。かゝもゝ。　落る物。梅有其花七つ八つ。九つといきんいと十。いとしさを。京にそむるか。しらべに。恋の色が出る。花むらさきとこい紅ィの。色よりふかひは恋（73オ）の色。業(なり)平男。行(ゆき)平男。それより敵めはよい男。手をつくし品つくす。琴の秘曲(ひきよく)に寄セ手の兵。大将始メ気をうばゝれ。魂(たましひ)ぬかしうつかりひよん。岩木さへ。引手により来る。心を。今ぞつくし琴ヱイソリヤ引れて。くれば名も立タぬ。笛(ふへ)にはおしか。浮カれておどれ。うかれておどれ。浮れて踊レば　名もたゝぬ。

地色ハル うかれ浮され ウ 大将雑兵そゝり立。覚 フシ へずしらず門内へおとり入にぞ。地色ハル おふての ウ 門をばはたとしめどつと作

色 る相図のとき。から ウ めてより泉ノ三郎。ハル 手勢引具しおめ ウ いて出れは度（ど）を失ひ。にげ ウ はなければうろたへて。

ウ 爰にかゞ ハル みかしこに走。フシ 討るゝ者ぞ（73ウ）多かりける。

地色ウ 時に味方の 色 声々に。詞 雑兵に目なかけそ。大将梶原景時をのがすな。我君を讒言（ざんげん）せし鎌倉のげぢ〳〵め。

地ハル 主従共に ウ 踏（ふみ）にぢれと。ウ 呼はる声に 色 胸ひや〳〵。ひへ ウ る次手（ついで）と水ィ門より。フシ 主従打連レ逃て行。

地色ウ 泉ノ三郎門外 色 へ飛で出。詞 ヱ、残念や討もらせしと。地ハル 歯がみをなして 中 立たる所へ。ウ 討もらされの雑兵あまた。

ウ 泉と見るより 色 討てかゝる。詞 シヤしほらしきうんさい共。儕（おのれら）等殺すに刃物は入ラずと。地ハル 大手をひろげ ウ 一ッ所

にこいと フシ 待かけたり。

地色 すき ウ をあらせず ハル 取付大 ウ 勢。とつてなげ付つかんで トル うちつけはらり〳〵と 三重 上 〽人つぶて。地ハル 此いきほひに恐れ

をなし皆 フシ ちり〳〵に逃散たり。（74オ）地色ハル ヱ、よしなき ウ 事に隙取 ウ し。目ざす敵の梶原め。ウ よし〳〵今は討ず

共。景時がくびは我物。先ッ々勝どき〳〵といさんで館へ　三重

謡下歌 〽年は文治の春の比。敵寄きたるさゞ浪や。志賀(しが)の浜辺の戦ひに。さもいそがはしかりし身も。〳〵。心の花か桜木に。暫しと頼むかり枕。結(むす)ぶや春の夢。覚(さめ)ての後はしら雪とちりつもる花ぞはかなき。

地中 義経公の御内にて四天王と呼れたる。五斗兵衛実基(さねもと)は文武二道を兼備(かねそな)へ。世上に眼(まなこ) 高浪やはげしき勇者の指(ゆび)折リに。二つと下らぬ一つ松から崎の戦ひに。あまたの敵を切リちらし。とねりも倶(ぐ)せず只一騎（74ウ）暫しつかれを春の日も。志賀の浦風。吹しきてさいた桜もちるものと。花にいとひしあら馬の高いなゝきも恨なる。

地色ハル 五斗はねむりの眼をひらき。あら面白の春の気色や。兄弟(けいてい)互にしのぎをけづり刃をあらそふ時しも有。しばし浮世のうき事を眠りに忘れし花の徳。地中 実誠世の常の。さくらは桜是は又。志賀のはまべの雲井の花。無下にやみなんもいとほゐなし。すぎし寿永の春の頃。源平の戦ィに。さつまの守忠度卿桜の本トにてまど

ろみ給ひ。つらね給ひし御歌に。旅行の花と題をすへ。行くれて木の下陰を。宿とせば（75オ）花や今
宵のあるじならましと。吟し給ふ御心と。五斗が今の身の上に思ひ知ラれて痛はしや。是に付ケてもあぢき
なき親子の縁はうつろふはな。不便ンや可愛や大三郎我をつらしと恨むらん。今は親子の縁切レて。いろも
ちり行児桜。此身の果の浅ましやと。涙の雨の古郷を思ひ。嘆きていたりしが。

ハツア我ながら正体なや。さしも名高き実基が我子を思ふ不覚の涙。花もさこそは笑ふらめ迷ふたり〳〵。
能々思へは是ぞこのしやはのきづなを行くれて。木の下陰の涼しき宿御法の花の主と（75ウ）ならん。五
斗兵衛実基が誉を顕はす一軍と。やたけ心の一ト筋に身の討死を磯際や。思ひをながすしら波に。つれて
よせくるときの声。

すはや敵の近付と馬引よせてゆらりと乗。鞍あぢ心にあぶみのはな向ふ汀の方よりも。鎌倉勢の其中に
梶原景時が郎等に。番場ノ忠太同藤太。宇津谷三郎なんどゝいふ。東そだちの荒武者共六七騎にてどつと

よせ。五斗兵衛と知ラばこそよき敵ごさんなれ。遁(のが)さじやらじと馬上をめがけ追ッ取まいてむら〳〵〳〵。村重藤(しげどう)の本はづにしつかとすがつ（76オ）て引もどせば。しや物々し雑兵原と打なぐり〳〵。桜の枝に弓打掛ケ。左下に廻る三郎がわだがみ掴(つか)んで引上れば。振放(ふりはな)さんともだゆるまに目よりたかく諸手に差上。きりゝ〳〵くる〳〵〳〵。大の男を人礫(つぶて)。打付られて宇津ノ谷が。心は苦しき蔦(つた)かづらはふ〳〵命を遁(のが)れ行。

地色ウ
つゞいて左右にどつと寄番場ノ忠太。同シく藤太是に有リ々遁(のが)さじと。むしやぶり付ィたる轡(くつは)づら馬　もいかりの高いなゝき。真砂(まさご)を蹴(け)立る四本の足かけ出せば引もどし。こたへもこたゆる二人がちから。よしなき妨(さまた)げ手並(なみ)を見よと兄は左弟は右。順逆二つを一ト掴み。指上(さし)〳〵あら（76ウ）馬に打　立〳〵〵人の鞭。有あふ端(は)武者を追めぐれば。叶はじ物と夕浪の。岩に砕くる其ふせいちり〳〵ぱつと逃行を遁さじや。ら

三重
じと　〵あふて行。

こゝに一ト際はなく〳〵敷キ。緋おどしの胴丸に。五枚甲を猪首にきなしれんぜんあしげに乗たるこそ。
五斗大三基春也けふの軍サに討死と。思ひ込だる武者ぶりに。おくれを見せずやう〳〵と。浜辺をさして
あゆまする。五斗はむらがる大勢を駒のひづめにかけちらし。よき敵有ラば一軍サと馬引なをし帰りしが。
スハ是こそは能キ敵と駒を乗リすへ大音ン上。落行中より只一騎かへし合スは（77オ）神妙〳〵。出立といひ
其骨骸。御名ゆかしく候ぞや名乗ラれやつとぞ申シける。ヲ、人の仮名を尋ルには我名をなのるが軍サの法。
弁へ知ラぬ葉武者には合ぬ。敵とあざ笑ふ。
ヤア葉武者とは奇悔也。義経公の御内にて四天王の其一ト人。五斗兵衛実基也。合ハぬ敵と欺きし御辺が仮
名いかに〳〵と。聞より扨は父上かと。云んとせしが待テ暫ハし。我首を父に参らせ。子に引カされぬ武ノ士
と。父の御名を上ケ給はゞ。此上の本望なしとかくごを極め。ホ、五斗と有ば不足なし。子細有ッて名は
云ハず。我首とつて高名せられよイサ。コイ勝負と打寄る。駒の足なみかつし〳〵かし〳〵。片手手

綱（77ウ）に打物かざし。うつやしら刃のゑい〳〵声。ヤア　ヱイ　しつてい　丁々　丁ど受てははつし
と払ふ。　鎧の袖もひら〳〵〳〵風のうら吹荒磯（あらいそ）に。どうど打浪岩角に。砕（くだ）けたばしる如くにて打
寄セ。かけ寄付ヶ廻す。
馬も達ッ者乗リ人も達者。手綱にめぐる駿足（しゆんそく）の。轡（くつわ）の音はから〳〵〳〵。かた田の野路の草摺（くさずり）に住ムか。す
だくか虫の音かい。つを松虫武ノ士の。かうろぎ鈴虫りん〳〵〳〵　ちりりんからめく兵具の金物。錚々（さう〳〵）
として金鉄皆鳴障泥（きんてつみななるあをり）の音トはぽん。ぱか〳〵はねかへさんとかつしと当る。鐙（あぶみ）のはなを乗すかし。右手へ
廻れば弓手に進（すゝ）み。共にはなれずくる〳〵〳〵くるりくる〳〵。追めぐる。
ゑい〳〵さけびし其勢ひ。馬のさんずも（78オ）今爰に修羅（しゆら）の。ちまたと切結ぶ。血気（けつき）の大三に修練（しゆれん）の実
基。甲乙（かうおつ）見へざる二人が働ラき。半時計リの戦ィに更（さら）に勝負も付ヵざれば。いぞふれ組ん尤（くま）と。馬のうへにて
むずと組。ゑいや〳〵ともみ合しが。両馬が間にどうど落。大三は上になりけるを。ゑいやつとはねかへ

せは。覚悟を極め伏シまろぶを我子と知ラず取ッておさへ。すでに討んとしたりしが。かほどけなげの武ノ士を討取ルは天晴高名。いか成者ぞ名を名乗レと。云イも果ぬにア、愚也五斗殿。運も力ラも御辺ンにおとり。組しかれては候へ共弓矢のならひは忘レぬ某。何面ン目に名を語らんとく〱首をかき給へ。ム、ウ尤の一言成レ共。（78ウ）其名を誰レ共弁へねば。我高名の其かひも並々ならぬ御辺ンの武勇。埋木となす互イの残念。たゞ〱名乗レと責付クれば。

いや〱なのらじいや名乗レ。い、や〱と争ひも果し並木の松陰ヶより。走リ寄ッたる女の声。ヤア大三様ではないかいなと。さし覗て。ヤアほんに大三様じや。お前ェにあはふばつかりに玉世がはる〴〵きたはいのと。聞に驚く五斗兵衛。大三郎は組ミ伏られし父の手前の恥しと。思ふ心に声あらげ。いもせの契りをしたひくる心ざしはせつなれ共。戦場迄女をつる、大三郎といはれては。イヤ見ぐるしひはや帰れと。詞のにべさへあらけなく。さあ五斗どの。（79オ）はや〱首を打給へと。態と他人ンに云イなす詞。ヤア扨は舅御様かいのと。顔を見合す玉世は恟り。五斗兵衛心をしづめ。ム、扨は御身は本田ノ次郎近経が娘よな。躮大三と夫婦になりしと。沙汰には聞共逢は始め。親子互ィにしのぎをけづり。我子を殺す無得心と。女心の一ト筋に。思はん事のうたてさよと。膝をゆるめて立タんとする草摺を下より引キとめ。其御心と知ッたるゆへなのらで討るゝ覚悟の命。組ミしかれたる此儘に我存念を立てたべ。さもなくば起上り。此大三は生害ぞと。

聞に悲しき玉世が心。ア、申五斗様。いつ迄もおさへてゐてそこのい（79ウ）て下さんすな。起ると其儘腹きらふと。つきつめたお心は日頃に私が知つてゐる。大三様を助けるはお前の腕の力ぞやと。あどなき詞に打うなづき。ヲ、其方が頼まいでも。大三郎は殺しはせぬ。過し頃鎌倉殿より。我を味方に招かるれど。泉と一ッ旦やくせしゆへ。せがれを偽り追ッかへす。さすれば頼朝立腹まし〱。手打にもあいつらんと思ひの外。近経が養子に下され。そちと妹背のかたらひなし。仮名も五斗を名乗と聞。其親の身の嬉しさは。いか計と思ふらん。何卒(なにとぞ)大三に廻り合ィ我首をとらせ。忠義に親を見替(かへ)しは。天晴の武ノ士と。世上に汝を云せん為。(80オ)爰かしこの手詰メの合戦ンに秘術(ひじゅつ)をつくし身を遁(のが)れ。又有時はさもなき武士にも後を見せて実基が。朋友(ほうゆう)の討死に。けふ迄残りとゞまりしはナフ玉世。大三郎もきいてくれ。汝をたすけ下されし御恩を父が報(ほう)ぜん為。今日只今の戦も。躮レとは露知ラず爰を大事としのぎをけづり。組ンで落たる両馬が間。運ンつよくもはねかへし。取つおさへし我大力。我ながら実基は剛(かう)成ル者と心の自慢(じまん)。ハアはつかしや。面目なや。今よく思ひ合すれば最前ン五斗と聞しゆへ。我に首をくれん為なのりもやらず討れんとは。さすが父が名を惜(おし)む心ざし。ハアてかした〳〵去ながら。我君淫酒に迷給ひ。(80ウ)士卒(しそつ)の心まち〳〵成レば二度御運ンは開(ひら)かるまじ。物数ならぬ我ながら首取ッて頼朝の。実検(じつけん)に備(そな)へてくれ。さすれば五斗の家も立。頼む〳〵と身を惜(おし)まぬ義者の詞ぞいさきよし。

ハア、有難き仰せ成レ共。御覧候へあのやま〳〵。並(なみ)ゐるは鎌倉勢。浜手の方は京都の軍兵。両陳ン互ィに押ならび数(ず)万騎の見る所。五斗大三は組しかれ。其上に助ケられ。恩(おん)を仇(あた)なる首取リしと嘲(あざけ)り笑はんは必(ひっ)定(じやう)。只々拙者が首を打父上の名を上ケてたべ。但し助スかつて基春(もとはる)に。つらよごせとの御事かと恨みの詞も理(り)にせまれば。

実も〳〵武士のおもては済(すま)ぬ敵と敵。ヤア是（81オ）玉世。女房傍(そば)に有リながら。現在(げんざい)夫トを手にかくる。五斗兵衛は遁(のが)されまじ。サア我を切ッて大三を助ケよヱ、イ。ゑゝいとはうろたへたか。女でこそ有レ本田が娘。其一ト腰(こし)は何の為。さあ〳〵抜(ぬい)て打チかけよ。早く〳〵とせり立られ。なふ情ない仰事。私はお前を切ふとて。はる〴〵都へきたかいな。無理もわやくも事による。仰を背くが悲しひとて。嫁の身として大事の舅御。そもや〳〵わしやいや〳〵。是ばつかりは何ぼても。ヲ、そふじや〳〵玉世。此大三が命かばふな。夫トのおやは実の親にも見替(かへ)ぬが操(みさほ)〳〵。心へたかと声かくればいやさ是玉世。夫トの（81ウ）守つて舅のいふ事背(そむ)くか。背けば直(すぐ)に大三を殺し。親子でないがそれでも討ぬか。夫レまだそんな悲しひ事。

親子の縁を切ルまいとてお首を切ッてしまふては。どのお命で女夫の結び。ヤアぐち〳〵。親子は一つ世と云ながら。永き契リの夫トはなんと。サア夫レは。サアうて〳〵討ねば切ルぞ。ヤアコリヤうつたらばすぐに離別。未来永々夫婦でないぞ。サアきらふとはいひませぬ。いゝや切ラねば親が勘当。いや切たらば夫がりべつ。必切ルな。いや切レと。舅がせむればとゞむる夫。悲しさつらさ身一つにわつとさけびて嘆きしが。涙の内に胸を極め。アヽうろたへたり（82オ）そふじや物と。すそかい取ッてさもりゝ敷こしの刀を抜はなせば。コレ〳〵玉世ソリヤ何する。夫トの詞背くかと。たけりもだゆる大三をば。起さじ物とおさへ付。出来たできた。夫レでこそは五斗が嫁。サアうて〳〵と首さしのべ刃を待ッたる実もとが。後へ廻り太刀振上。右の腕を打落すと。見へし刃ハは刀の宗。何のつゝがもあらされば。

大三郎は安堵の思ひ。玉世は刀からりと捨。大事の舅を嫁の身で。夫トにそむゐて刃向ひし。天道の咎メにて刃かねが宗へ廻つたなと。了簡つけて堪忍して。元トの通りの我嫁とたつた一チ言おつしやつて。夫ト諸共此場の命なが（82ウ）らえて下さりませ。一ト人は舅御ひとりは殿御。どちらをどちらとわけがたき。心の内の悲しさを思ひやつてとかきくどく。涙の玉も乱焼(みだれやき)。刀の宗におさめし思案。二タ人にそむかぬ発(はつ)明(めい)はよふがしこふて哀レなり。

五斗兵衛は打點(うなづ)き。ヲヽてかされたり玉世。天晴御身は近経が娘ぞや。此実基に刃を当れば心も剛(かう)成ル武士の妻。宗で討ふが刃でうたふが右の腕は討れたり。腕こそはきらるゝ共大三と夫婦の手はきれじ。もとのごとくの嫁舅。此うへとても中よくせよと。左リの手にて大三郎を引おこし。今は叶はぬ右の腕（83オ）汝を討べき手もなければ。我助けしといふには有ラず運つよき五斗大三。我首をサアとれよとどうど。座して云放(いひはな)せば。

ハツア有難き父の恵(めぐみ)。何と報(ほう)ぜん詞もなし。去ながら子の身として現在(げんざい)の親を手にかけ。手柄(てがら)せしとて何のゐき。いや只とかく某がと。刀抜(ぬき)持チじがいの体。やれはやまるな夫レ留よと。差図(さしづ)にすがる玉世の前。

心はせつなき涙の下。おまへを助けふ計に。心をくだきしかひもなふ自害とは何事ぞや。爺御様もあんまりな。大三様の身にもなり。少しは心を思ひやり。此場をのがれ給はれとかきくど。きたる恨泣。ヲ、さすがは女よな。浅はかなる（83ウ）心より恨るも理り。コリヤ大三。汝は未知ルまじきが。様子有ッて妹徳女は。じがいして死だはやい。

ヱ、イして母様はへ。ヲ、母の関女は一ッ旦離別したれ共。大三郎をばいかへして連レ来らば。元トのごとく夫婦にせんと。泉が云しを力にて鎌倉へ下り。汝が行へを爰かしことさぞや尋ん。不便さよ。又某は最前もいふごとく。頼朝公の大恩を受ケ其恩を報ぜすんば。鬼畜にもおとるべし。それゆへに此度は父が最期のはれ軍サと。覚悟極し上なればとてもたすかる所存はなし。汝は父が首を持チ鎌倉に下り。右の様子を頼朝公へ恐れながら言上申。五斗の家を引キ起し。我妄執を晴ラさん者。（84オ）汝ならではなきぞとよ。心余りて詞には。たらぬ思ひをしれやとてかこちなげゝば玉世のまへ。大三も涙せきあへず。恨を何と夕浪の打しほれてぞ泣居たる。

時刻もしばし移り行日陰も西の浜手より。爰に一ト筋飛箭の来タると見へしが基春が。右手の肩先キはつしと立篦もふか〴〵といた手の血汐。実基玉世もコハいかにと遉に。あきるゝ計也。

大三郎につこと笑ひ。ハツア有難タや忝ケなや。我心をあはれみて天よりあたふる飛箭ぞや。此上に論義はなしサア我首を打ッてたべ。とは云ながら妹は先立。母様は東に下り。此大三を尋廻り。行衛知レねば云分ケなしと。自害かななさ（84ウ）れんかと。夫レが悲しひ〱とわつと嘆けば玉世のまへ。正気正体泣キくづおれ。コレ大三様。お前に最一チ度此世にてあはふ〱を力草。知ラぬ旅路をきた物をむごらしい此おすがた。どこのやつめがいくさつて此ながれ矢は何事ぞや。神様も仏様もあんまりむごい聞へませぬ。思へば〱鎌倉をお立チの時。形見にせよと残されし一首の歌が気にかゝり。肌身も放さず持ッてきた。是此短冊見給へと涙ながらに取出し。五斗に渡すを追取ッて吟じてみれば。武ノ士の。弓矢の道はおしまねど。うづもれ果る名こそおしけれ。ハツアさすが五斗が種(たね)程有。ヲヽでかした〳〵。武士の名を後代にのこすこそ。弓（85オ）矢取身のならひなれ。去ルによつて汝が首取。誉(ほま)れを末ッ世に残してゐさせん。心よく最期(さいご)をとげよ。まつた某もなからへ有ラば。何とぞ母にめぐりあひ。さいごの様子云聞せ。汝が跡をとむらはすぞ。妹徳女に未来で逢ば。父も追ッ付ケ行程に。半ン座をわけて待テといへさらは。〳〵と涙を払(はら)ひ思ひ切ッたる其ふぜい。アヽ有難やと安堵(あんど)のさいご。西。おがまんと手を合すれば実基が気を取直しふり上る。剣の光リもあきらけき。光明(くはうめう)遍照(へんぜう)。十方世界(せかい)と。すゝむる声に玉世のまへ。ともに唱(とな)ふる十方世界の悲しひ事を身のうへに。とゞめたるあさ（85ウ）ましさと訳も涙のくりことに。

大三郎は眼をとぢ。念仏衆生摂取ふしやと唱ふる声の下よりも。ひらめく剣に若木の桜。ちり行身こそはかなけれ。玉世はわつと取乱し。めもくれ心きへ〴〵と。涙にむせてことのはもなき夫の首かき抱き。前ン後ふかくに泣沈(しづ)む。思ひのかず〳〵実基もしばし。嘆きにくれけるか。

地中
ア、我ながらよしなき涙身の高名を顕(あら)はすは。躬レが誉レの其一トつともれる声を取直し。詞 遠からん者は音にも聞。近からん者は目にも見よ。鎌倉殿の御内にて五斗大三基春を。五斗兵衛が打取ッたりと。呼はりながらしほ〳〵と（86オ）首を衣にて押包涙と共に身にそへて。

詞
是々玉世。あへなきからたはつまの役よきに葬(ほうむ)り弔はれよと。云捨(すて)立上るを。なふ是暫し待ていのふ。此御骸をほうむりてもかんじんのお首がないと。思へばとふやら心の迷(まよ)ひ。弔ひも追善(ついぜん)もとゞかぬ未来のかたびんぎ。五体そろはぬ其人は。仏にはならぬとかや。此上の御慈悲(じひ)に。其お首をも給はれよと又泣。

ハル
しづむぞ道理成。

地色ウ
五斗げにもと思ひしが。詞 ハツア大事を忘れたり。首実検(じつけん)の期(ご)に及んで。玉世が嘆く不便ンさに。首はあたへて候と言訳ケも成まじ。又泉亀井両人が。うたがい（86ウ）うけんも弓矢の恥。といふて眼前ン玉世のまへ。嘆くを見すてゝ行れもせず。地ウ とやせんかくやヲ、それ〳〵。望ミに任(まか)せ大三が首玉世にあたふるうけ取レと。いぜんの短冊(たんじゃく)さし出せば。と、様是はどふぞいな。此短冊をお首とは。ヲ、それこそは大三郎がかたみに読(よみ)し歌一ッ首(しゅ)。一首とかいて一トつの首と読(よま)ざるや。是此からだに其短冊れんぞくしたる三十一文字。五倫(りん)五体(たい)のてにはよく題(だい)に叶へば御(み)仏ヶの。心にかなふ詠歌(えいか)の徳。みらいはまさに極楽浄土(ごくらくじゃうど)何かうたがい嵐の音に聞へたるときの声は法(のり)の声。手向(たむけ)の香はな（87オ）忘るゝなと。

いさめすかせば玉世の前あつとかんじて有がたき。舅(しうと)のめぐみを嬉し泣夫トに別れの涙の時雨。ふりみふらずみ定なきあめのしほ木もなき人の。身には無常の夕けふり立別れ行玉世のまへ。嘆きの種をわけ残す。木の下陰の思ひの宿涙を袖のあるじとは。かゝるうき身を夕ぐれのつきを都の伴ひに。志賀の浦風吹残す花も。名残や惜(おしむ)らん

第五

流水岩に砕(くだく)れ共末は一トつの源トや。頼朝公の御前ンには在鎌倉の諸大名異義を正(たゞ)して（87ウ）相つめ。都よりの軍の知ラせ櫛のはを引ごとく成レば。評定取々まち〳〵なり。

奏者の侍罷出。都堀川の御所より。御使者として亀井の六郎重清。参りそふと訴ふれば。スハ又れいの計略ならん。油断有なと諸だいみやう心をくばる計也。

頼朝暫く御思案有。軍半ハの都を明。一騎当千の六郎を指越事子細ぞあらん。何にもせよ是へ通せと御諚の下。立出る亀井の六郎。錦戸伊達の兄弟を高手小手にいましめ。御前ン間近く謹で。主人義経反逆なき申訳は。先達ッて静御前。人質として差下せとの御諚。（88オ）権ノ頭兼房早速受合候所。主君をいさめ兼忠死仕る。夫レに付是成錦戸静御前の実父と成。淫酒の二字を以て主君をうしなひ。儕が都を守護せんたくみ。明イ白に顕はれしゆへ。急ぎ両人を召捕鎌倉へつかはし。義経が親ン兄の礼をおもんじ。毛頭別心なき条申ひらけの仰を請。夜を日についで参上し。讒者の舌にさへられ思はず君に刃むかふこと。本意を背くと後悔さいちう。とりこに成し五斗が妻も此たび本田ノ近つねより。みやこへ送りかへされし段。是迄敵たい致す事ほぞを（88ウ）かんで神文を相くはへ。つゝしんで差上る間和睦の一チたん。ひとへにねがひ奉るとべんぜつ水の流るゝごとく。さもいさましくのべければ。

君も疑心を止られて。義経方より和睦を乞ェば。我に別心有べからず。又錦戸兄弟は本田近経にまかせ置。追て沙汰を極むべしと聞に亀井は安堵の胸。使者の面目有がたしと悦ぶ事は限りなし

頼朝甚御きげんよく。義経が胸中相知レし事此上や有べきと。御盃を下さるれば亀井すさつて押戴き。此盃を都へ登り我君にいたゞかせ。其返盃を鎌倉へすぐに治る（89オ）天下太平。一張の弓のいきほひに東

南西北なびきしたがふ君が代や。たみも豊ヵに五穀は実のり。栄へ〳〵て源ト氏治ル。国こそめでたけれ

延享元年
甲子三月

去人懇望ありて大作のほつれに
古きをつきたし是非に五段にして板行におよふ
桜木に咲を見まねや作花（89ウ）

右俳優玉調者以通俗為要誠些
用者急卒令板行而其正字仮名
等迷不残撰隆然文句節章予
加墨譜聊無違仍為正本云爾

豊竹肥前掾

江戸長谷川町新道
正本所丸屋甚八郎

解　題――義経新含状

◎底本　早稲田大学演劇博物館（イ14-2-841）

◎体裁　半紙本　一冊

◎表紙　替表紙

◎題簽　無

早稲田大学演劇博物館（ニ10-1889）は原題簽「義経新含状　豊竹肥前掾直伝／正本屋甚八郎板」（解題「補記1」参照）

◎行・丁数　本文七行・八九丁（実丁）

◎丁付　五　一~五　四、五五六、五ノ七~五ノ十九、五　二十~五八十九、五九十了（ノド）

◎内題　義経新含状

◎年記　延享元年甲子三月

◎作者　無記載

◎奥書　有

◎板元　（江戸）丸屋甚八郎

◎番付　無

◎絵尽　無

◎初演　延享元年三月　江戸肥前座

『義太夫年表　近世篇』第一巻一四八頁参照

◎主要登場人物

源頼朝　源義経
本田次郎近経　静御前
本田近経の妻桃園　権頭兼房
本田近経の娘玉世　兼房の娘鶏鷹
五斗兵衛実基　亀井六郎重清
五斗兵衛の息大三郎基春　泉三郎
五斗兵衛の妻関女　泉三郎の妻岩浪
関女の娘徳女　貞松尼
関女の兄門八　佐藤の局
梶原平三景時　錦戸太郎
馬場忠太光景　伊達次郎

◎梗概

[第一]

（鎌倉黒書院）13頁2行目~19頁2行目

文治元年の春、鎌倉将軍頼朝は軍勢を上洛させ、弟の九郎義経を討つよう命ずる。酒色に耽溺するばかりか、幕府へ謀叛を企てているとの風聞が頻りだったからである。

畠山重忠の家臣、本田次郎近経は、鎌倉将軍に対し反意があるというのは噂に過ぎないとして、慎重にすべきだと進言する。一方、梶原平三景時の執権、番場忠太光景は、義経に仕える錦戸太郎と伊達次郎の兄弟から内通があり、逆心を抱いていることに疑いの余地は無いと主張する。

そこへ権頭兼房、貞松尼、佐藤の局の来訪が告げられる。義経の使者として、主君に向けられた讒言を弁明するのが目的という。本田次郎が問い質す謀叛の疑念、その一々に兼房は筋の通った申し開きをする。頼朝は納得はしながらも、義経が政道を疎んじるに至った要因を錦戸太郎の養女静御前への溺愛と断じ、人質として静御前を引き渡さなければ軍勢を義経討伐に向わせると言い渡す。

兼房は貞松尼らの反対を押し切り、和睦の条件を受け入れる。静御前の受取り役として本田次郎が、兼房ら三人に同行することになる。

（京東山の茶屋）19頁3行目～34頁4行目

静御前は堀川の館を離れ、東山の茶屋まで桜狩りに出かけていた。兼房の一人娘、鶉鷹も同道している。そこへ亀井六郎重清が来て、義経らの間も無くの着到を告げる。鶉鷹が亀井六郎への思慕を募らせていたことを知る静御前は、二人の仲を取り持ち、思いを遂げさせる。

義経たちが遊楽気分で現れる。そこへ鎌倉から戻った貞松尼と佐藤の局が駆け込んで来て、義経に注進する。和睦の条件として頼朝が要求したのは静御前を人質として引き渡すことであり、それを兼房が承引したというのだ。

錦戸太郎は、忠臣の兼房を排除する好機とばかりに、頼朝の狙いは人質に事寄せ静御前を奪い取ることにあり、兼房が条件を受け入れたのも頼朝に買収されたからだろうと讒訴する。激怒した義経は、兼房を不忠者として討つよう命じ、静御前ともども急ぎ堀川への帰路に就く。

本田次郎を麓に残し、兼房がやって来る。待ち伏せていた錦戸兄弟を、兼房は追い散らす。

義経の命を受けた亀井六郎とも兼房は刀を交えるが、止めに入った鶉鷹から、静御前の仲立ちで二人は夫婦になっていたことを知らされる。錦戸兄弟の誹謗で義経からの信頼を失い、鎌倉方との和議を整えることが自分には出来なくなったと悟った兼房は、頼朝への申し訳に切腹し、後事を娘婿の亀井六郎に託すと、自身で己が首を斬り落す。

本田次郎が静御前を迎えに来る。用意の駕籠に亀井六郎が乗せていたのは兼房の遺骸であった。本田次郎は、和睦の拒絶と判断されかねない事態を収拾するため、表向きは静御前の駕籠として受け取る。そして、鎌倉に戻り次第、兼房が自命を賭した事の顛末を頼朝に伝えようと告げる。

亀井六郎と別れ出立した一行は、伊達次郎の急襲を受ける。乱戦の中、駕籠の中が兼房の遺骸だったことが露見してしまう。錦戸兄弟が鎌倉に通告するのは確実であった。当座の打開案が水泡に帰した本田次郎は、加勢に戻った亀井六郎とは戦場での再会を約し、東山を後にする。

［第二］

（近江栗本郡勢田の街道）34頁6行目〜42頁2行目

近江国の勢田の街道、酔いつぶれた五斗兵衛が酒樽を枕に寝ていた。そこに本田次郎近経の一行が通りかかる。役人が道をあけるよう命じても、五斗兵衛は起き上ろうとすらしない。当地は判官義経公の領分であり、鎌倉将軍の家臣に礼儀を尽す必要などないというのだ。

本田次郎は男に近付き、これは人質となった静御前の駕籠なのだと告げ、義経の御台同前の静御前に対して無礼だと批難する。五斗兵衛も一旦は驚くが、乗物や周囲の気配から虚言と見抜く。その才智と胆力に本田次郎は態度を改め、大津追分で目貫師となっている今井家の浪人ではないかと尋ねる。軍術にも秀でた勇者として知れ渡っており、頼朝も軍師にと望んでいたのだった。五斗兵衛は人違いだと否定し、その場から逃げ去る。

主君が懇望する男だったに違いないと無念に思っていると、父親を探す少年がやって来る。日がな酒浸りで、今朝も家を出たままなのだと言う。本田次郎の問いに、父の名は五斗兵衛、自分の名は大三郎だと答える。さらに追分の目貫師であることを聞き出すと、その男なら無礼討ちにしたところだと偽る。大三郎は悲嘆にくれながらも本田次郎の脇差を奪い切りかかる。本田次郎は大三郎を縛り上げ、駕籠へ押し込むと、鎌倉への帰途を急ぐ。

（鎌倉本田次郎近経屋敷）42頁3行目〜50頁6行目

前日の夜、鎌倉に戻った本田次郎は、この日は早朝から頼朝のもとに赴いていた。大三郎に心惹かれる本田次郎の娘玉世は母親の桃園と、打ち沈む大三郎を慰めている。あれこれ二人が執り成しても、父親は切り捨てられたものと思い込んだ大三郎は、仇討を果すことしか念頭にない。

やがて帰宅した本田次郎から、頼朝には大三郎を家臣に迎えたいとの意向があると伝えられる。当初は全く肯じなかった大三郎も、父親は無事であり、都方との合戦を回避するには五斗兵衛が鎌倉方の軍師となることが必要なのだと説得され、頼朝への出仕を承諾する。
（大津追分五斗兵衛住家）50頁7行目〜68頁5行目

大三郎が姿を消してから、五斗兵衛は行方を捜し歩く毎日であった。この日も未明から家を出ている。妻の関女は後添えで、大三郎は先妻との間の嫡男であった。義理ある子の失踪に関女は、親身さが足りないと来世で先妻が恨んではいまいかと不安がる。関女の連れ子徳女は母を元気づけ、自分は泣き顔を見せまいと次の間へ入って行く。

そこに関女の兄門八が目貫を受け取りにやって来る。前金で注文していたのだった。大三郎が神隠しに遭ってから五斗兵衛は仕事に手が付かないのだと釈明しても、門八は納得しない。五斗兵衛の帰宅を見計らって戻るので、それまでに目貫を渡すか返金するかを決めておくよう言い付け、門八は立ち去る。

疲れ果てた五斗兵衛が戻る。息子の行方が知れぬことを関女と嘆いていると、目貫の誂えに都方の大老泉三郎が訪れる。泉三郎は目貫の注文をしながら、暗に義経方へ加勢する意志、その有無を五斗兵衛に問う。言外の意図を察した五斗兵衛は、泉三郎を奥の一間へと誘う。

そこへ若武者姿の大三郎が帰宅する。驚く関女に大三郎は、頼朝に召し抱えられたこと、さらに頼朝から父親への書翰を持参しているのだと話す。そこには五斗兵衛を大名に取り立てるとの旨が認められているのだという。

大三郎の声を聞きつけ、五斗兵衛が奥の一間から出て来る。頼朝からの書状を読み終えた五斗兵衛は、返書を大三郎に渡すと、先に鎌倉へ戻っているよう命じる。

関女が見送りから帰ると、五斗兵衛は仏壇に向って念仏を唱え始める。不吉な事をと憤る関女に五斗兵衛は、大三郎は頼朝の手討ちにあうか、さもなければ切腹することになるだろうと告げる。既に義経方に与することを決意していた五斗兵衛は、頼朝からの申し出を謝絶する内容の書状を大三郎に渡していたのだった。家の奥で全てを聞き知った泉三郎は、夫婦の胸中を察しながらも、迎えの乗物を差し向けることを約し、自分の屋敷へ帰って行く。

五斗兵衛が出立の用意をするため家の中へ入ると、再び門八が目貫の督促に来る。五斗兵衛が都の義経方に組したことを関女から探り出した門八は、五斗兵衛を騙し討ちにしようとする。本田次郎から密命を受けていたのだ。返り討ちにあった門八は、今際に妹関女と姪徳女の行末を五斗兵衛に委ねた後、最期の止めを受け事切れる。

迎えの乗物が到着し、三人は泉三郎の屋敷へと向う。

［第三］

（京堀川義経館）68頁7行目～82頁5行目

堀川の館の日々は歌舞で明け暮れていた。この日も義経が錦戸兄弟らと打ち興じていると、亀井六郎重清が現れ、鎌倉から大軍が攻め上ると噂される情勢下、頼朝から示された和睦の条件、静御前を人質として差し出すことに従うべきだと意見する。機嫌を損ねた義経は亀井六郎を足蹴にすると、静御前と共に館の奥へ入ってしまう。

錦戸兄弟が亀井六郎を愚弄し諍いとなる。そこへ泉三郎が現れ、仲裁にはいる。泉三郎になだめられ、亀井六郎は館を出る。一方、五斗兵衛を随行させていた泉三郎は、初見参に応じてもらうため、義経の居室へと向う。

五斗兵衛の酒癖の悪さを耳にしていた錦戸太郎は伊達次郎と語らい、泉三郎もろとも義経から遠ざけようと画策する。広書院へ通された五斗兵衛を伊達次郎が接待し、殊更に酒を勧める。当初は自制していた五斗兵衛も、結局は錦戸兄弟の思惑通りに痛飲する羽目になる。

義経と泉三郎が広書院に出て来る。大酒に酩酊し返答も覚束ない五斗兵衛は、義経から不興を蒙る。泉三郎は面目を失い、ひとり帰途に就く。義経の命を受け、館から叩き出そうとする下僕達を、五斗兵衛は三番叟であしらい、難なく堀川の館を離れる。

（京泉三郎屋敷）82頁6行目～99頁4行目

泉三郎の屋敷では妻の岩浪と関女親子が吉報を心待ちにしていた。堀川の館から戻った泉三郎は、錦戸兄弟の策略で五斗兵衛が泥酔させられ、義経との初目見得が不首尾に終った事の次第を話すと、岩浪と奥の間へ入って行く。

深酔いのまま五斗兵衛が帰着する。呆れ果てた関女は、大三郎を犠牲にしてまで得た出世、それを無にしたことを責め、離縁を迫る。五斗兵衛は、家伝来の短刀に添えて離縁状を渡すと寝入ってしまう。悲しむ徳女に関女は、離縁は表向きの懲らしめなのだと慰める。五斗兵衛を置いて立ち去ろうとすると、それを奥の間から出て来た岩浪が咎める。関女は腹立ち紛れに皮肉で言い返し岩浪を辱めながらも、この先の様子が気にかかり、娘と物陰に身を潜める。

そこに泉三郎が屋敷の奥から現れ、鉄砲を撃つ。すぐさま起き上がった五斗兵衛は、その火薬の音だけで空砲と察し、何事かと訝しむ。堀川の館で酔態をさらしたのは、主君となる義経の度量をはかるための計略であった。主君の仁徳の高さにではなく泉三郎の忠義心の篤さに感じ、軍師として仕える決意に変りはないと五斗兵衛は告げる。やがて来る合戦の軍議に、二人は屋敷の一間へと急ぐ。

二人の応対に感嘆する岩浪のもとに関女が姿を見せ、先刻の無礼を詫びる。そして五斗兵衛との縁の取成しを哀願する。母親の厚かましくも卑屈な言動に耐えられず、徳女は五斗兵衛から渡されていた短刀で自害する。

身なりを武将の装いに改めた五斗兵衛が、泉三郎と共に出て来る。関女は、自害を決意していたものの、このままでは孤児となってしまう徳女のために復縁だけはしておきたかったのだと娘に謝罪する。

徳女の後を追い自害しようとする関女を、泉三郎が止める。鎌倉にいる大三郎を連れ戻せば、それを功に五斗兵衛との復縁に助力しようと、岩浪ともども関女を励ます。泉三郎が五斗兵衛の本性を探るために撃ち放った鉄砲を携え、関女は鎌倉へと向う。

[第四]

(道行しぐれがさ) 99頁6行目~101頁7行目

都から鎌倉へ向う関女。故郷大津から田子の浦、箱根を経て鎌倉の切通し亀ヶ谷にほど近い小松坂にたどり着く。

(京堀川義経館) 101頁8行目~105頁1行目

梶原平三景時が率いる軍勢が堀川の館に迫っていた。五斗兵衛や亀井六郎重清は近江や辛崎へ応戦に出向いている。小勢で対峙しなければならない泉三郎は一計を案じる。

鎌倉勢が押し寄せると、堀川の館は開放されており、琴や三味線の調べが聞える。策略かとは疑いながらも、静御前の琴歌に惑わされた軍勢が門の内側に入ると、その直後に門扉が閉ざされる。多くの兵が逃げ場を失い討たれる中、泉三郎の狙う梶原は水門から逃げのびる。

(志賀辛崎) 105頁2行目~120頁8行目

合戦の場となった辛崎。ひとり五斗兵衛は桜の木陰で休らう。鬨の声に起き上がった五斗兵衛は馬に跨り、寄せて来た番場忠太の勢を追い散らす。そこへ騎馬の若武者が悠然と進んで来る。大三郎であった。眼前の敵が五斗兵衛と知れると、名乗りも上げず挑みかかる。相手が誰であろうと私情に流されはしなかったとの勇名を得させたかったのだ。組み敷かれても、大三郎は名を明かそうとしない。

そこに玉世が現れ、大三郎に駆け寄る。今は夫となっていた大三郎の身を案じ、鎌倉から慕い来ていたのだった。

相手が大三郎と知った五斗兵衛は、朋友達の討死を後目に今日まで生き永らえてきたのは、この戦場で大三郎に自分を討ち取らせるためだったと語る。頼朝の手討ちにはあわずとも、切腹は免れ得ぬものと覚悟していた大三郎を、本田次郎近経は養子として迎え入れ、自分の娘と娶せてもいた。その恩誼に報いたいと念じていたのだった。

親子が互いに自分を討たそうとして譲らず、決着が付かない。ところが日も暮れかかる頃、大三郎は流れ矢で瀕死の深手を負ってしまう。やむなく五斗兵衛が大三郎の首を討つ。遺骸は玉世が引き取り、後世を弔うこととなる。

［第五］

（鎌倉評定所）121頁2行目～123頁1行目

鎌倉には都での戦況が刻々ともたらされていた。

そうした折、義経からの使者として亀井六郎重清が参上する。錦戸兄弟が縄付きで連行されていた。義経を酒色で誑し込み、都の守護を我が物にしようと企んでいたことが明白になったのだという。また本田次郎近経に捕らえられていた関女が、都に送り帰されていたことも報告される。こうした状況下、義経は自分の所業を悔い改め、兄頼朝との和解も切望していると亀井六郎は言上する。

頼朝は願いを聞き入れ、その印として盃を差し出す。亀井六郎は、都へ戻り義経に盃を戴かせた後、返盃の献上に再訪することを頼朝に約す。頼朝と義経の不和が解消され、鎌倉方と都方の対立は収束へと向う。

◎補記1

・内題「義経新含状」七行本。板元「丸屋甚八郎」の諸本に、板木の改修に因る本文異同で、甲本と乙本の二種。

・翻刻底本は乙本（修訂本）。刊行年は延享二年（初演の翌年）もしくは同三年と推定。解題「補記2」参照。

・甲本（未修訂本）と確認できた七行本に、早稲田大学演劇博物館（ニ10-1889）原表紙・原題簽、大阪府立中之島図書館（251-1064）替表紙・原題簽。調査未完遂。

・甲本を上段に、乙本との異同は左記の通り。改修の実相についての解説は割愛。例えば最初の事項。改修は振り仮名の付加だけではない。おそらく修訂の対象だったのは、むしろ本文行の「囀」で、改修範囲はその前後「の」と「事」の一部を含む。他の事項については、原本参照。

3オ1	下々の囀事	下々の囀（さへつり）事	※1
3オ1	やうしん四智の	やうしん四智（しち）の	
3オ4	取分とかしの	取分とがしの	※2
3ウ3	山伏の姿と	山ぶしの姿と	

4オ5	錦戸の太郎静(しづか)と	錦戸の太郎。静(しづか)と	
4ウ4	かさにかれど	かさにか丶れど	
5オ5	くもらぬ	くもらぬ	※3
19ウ1	ヤレ待さなせそ	ヤレ待テさなせそ	
37ウ1	旅用意	旅用意	※4
43ウ2	若(もし)味方に	若味方に	※5
47ウ6	物好キ姿。	物好姿。	※6
47ウ6	我慰(なぐさ)を	我慰(なぐさみ) を	
47ウ7	御心を痛(いため)。	御心を痛。	※7
48オ2	心安からず	心安からす	※8
48ウ1	燕雀(あんしやく)の分ッと	燕雀(あんしやく) 分ッと	※9
49ウ5	讒言とは	讒言(さんげん)とは	
55ウ6	あたまに	あたまに	※10
59オ2	にお目見へ	に成テ御目見へ	
71ウ7	坂にぞ(ユリ)	坂にぞ	
83オ4	近経が桹ぞや	近経が娘ぞや	

※1　甲本「囀」、字の形が標準的なくずしと異なる。
※2　甲本「とかしの」、「とかの」とも読めてしまう。
※3　甲本「もら」、「のし」とも読めてしまう。
※4　甲本「用」、字の形が標準的なくずしと異なる。
※5　甲本「若」、字の形が「水」のくずしに見える。
※6　甲本「物」、字の形が標準的なくずしと異なる。
※7　乙本「痛」、前行での改修に伴い振り仮名欠落。
※8　乙本「す」、「心安から」の改修に伴い濁点欠落。
※9　甲本「分」、字の形が標準的なくずしと異なる。
※10　甲本「あた」が改修対象。理由は不詳。

◎補記2

校合本は東京芸術大学附属図書館（W768.427-Yo-4）。内題「義経新含状」七行本。板元「近江屋藤兵衛」。本文は前記の乙本と同板（若干の異同は板木の欠損に因るもの）。奥書は延享四年十月肥前座『いろは日蓮記』（未翻刻集成42）および寛延二年十月肥前座『日蓮記児硯』の七行本と同板。この頃に刊行された後印本と推定。

◎補記3

改題本に『後藤伊達贖』『増補腰越状』（刊行時期の考証は神津武男『浄瑠璃本史研究』参照）。前者『後藤伊達贖』は『徳川文芸類聚　第八』（大正三年刊）に翻刻収載。帝国文庫『紀海音並木宗輔浄瑠璃集』（昭和四年刊）所収の『南蛮鉄後藤目貫』も同作の翻刻とされている。

◎補記4

・13頁4行目「漂平（ひやうへい）」の「漂」。原本（1オ5）は「溧」。誤字ではなく、「漂」の書き損ねと判断した。

・15頁8行目「囀事（さへつり）」の「囀」。原本（3オ1）の字の形は、改修後も標準的なくずしと異なる（判読困難）。字義（振り仮名）に拠り「囀」で翻刻。

・16頁6行目「逐転（ちくてん）」の「逐」。原本（3ウ4）は「豕に下心」。『大漢和辞典』不立項。作字はせず、字義（振り仮名）に拠り「逐」で翻刻。

・38頁10行目「師範（しはん）」の「範」。原本（21ウ1）の字の形は、標準的なくずしと異なる（判読困難）。字義（振り仮名）に拠り「範」で翻刻。

・48頁5行目「芽（きざし）」。原本（29オ3）は、草冠の下が「才」のくずし（「戈」の第四画を欠いた形）に見える。誤字ではなく、「芽」のくずしの特異な事例と判断した。

・50頁1行目「眉（まゆ）」。原本（30オ7）は、「目」の部分が「貝」になっている。『大漢和辞典』不立項。作字はせず、字義（振り仮名）に拠り「眉」で翻刻。

・75頁5行目「墜伍（たいご）」の「墜」。原本（50ウ2）は、右上が「逐」に見える。『大漢和辞典』不立項。作字はせず、原本の字に近い「墜」で翻刻。字義的には「隊」が相応。

・77頁1行目「細瑾（さいきん）」の「瑾」。原本（51ウ6）は、玉偏ではなく金偏。『大漢和辞典』不立項。作字はせず、字義（振り仮名）に拠り「瑾」で翻刻。

・77頁10行目「隅田川（すみだ）」の「隅」。原本（52ウ3）の字の形は、旁が標準的なくずしと異なる（判読困難）。字義（振り仮名）に拠り「隅」で翻刻。

・81頁6行目「牡丹（ぼたん）」の「牡」。原本（55オ7）は、「告」の上半分が二つ左右に並んでいる。『大漢和辞典』不立項。作字はせず、字義（振り仮名）に拠り「牡」で翻刻。

・102頁8行目「充満し（じうまん）」の「充」。原本（72ウ5）の字の形は、標準的なくずしと異なる。別字「立の下に几」にも見えるが、誤字ではなく「充」の書き損ねと判断した。

・109頁8行目「修羅（しゆら）」の「羅」。原本（78ウ1）の字の形は、標準的なくずしと異なる（判読困難）。字義（振り仮名）に拠り「羅」で翻刻。

（飯島満）

義太夫節人形浄瑠璃上演年表（一七一六－一七六四）

一、この年表は、享保期から明和元年にかけて初演された義太夫節人形浄瑠璃作品について、上演年月と翻刻状況を中心に示したものである。

一、上演年月と外題は主に『義太夫年表　近世篇』八木書店に拠り、神津武男『浄瑠璃本史研究』八木書店を参照した。

一、同一の興行外題による再演（推定を含む）は、その正本の現存が『義太夫年表　近世篇』等で確認されているものを掲出した。

一、年表の座（所演）欄の略号は以下の通り。備考欄の「＊」は所演に係る注記事項。

豊：大坂豊竹座
竹：大坂竹本座
出：大坂伊藤出羽掾座
明：大坂明石越後掾座
陸：大坂陸竹小和泉座
北：大坂北本和泉座
宇：京宇治座
扇：京扇谷豊前掾座
外：江戸外記座
辰：江戸辰松座
肥：江戸肥前座
土：江戸土佐座
喜：竹本喜世太夫座
未：所演座未詳

一、翻刻欄には、第二次世界大戦後、『義太夫節浄瑠璃未翻刻作品集成』以前に刊行された翻刻書（原則として私家版および紀要等の雑誌に掲載されたものは除く）の有無について、以下の記号で示した。

▼：未翻刻
▲：未翻刻（戦前に翻刻あり）
▽：改題本または再演本で未翻刻（原作は翻刻あり）
×：正本の現存不明

一、翻刻欄または備考欄に記した翻刻書等の略号は以下の通り（丸文字は収録巻）。翻刻書が複数ある場合、近松門左衛門作品は『近松全集』岩波書店を、それ以外は最新刊を掲げた。なお、翻刻の会については、『同志社国文学』同志社大学国文学会に掲載された翻刻の一覧を年表末に付記することとした。

一風：『西沢一風全集』汲古書院、二〇〇二～二〇〇五年
海音：『紀海音全集』清文堂出版、一九七七～一九八〇年
加賀：『古浄瑠璃正本集　加賀掾編』大学堂書店、一九八九～一九九三年
義浄：『竹本義太夫浄瑠璃正本集』大学堂書店、一九九五年
旧全：『日本古典文学全集』小学館、一九七〇～一九七六年
旧大：『日本古典文学大系』岩波書店、一九五七～一九六七年
浄翻：『浄瑠璃正本翻刻集』国立劇場、一九八八年～
真宗：『大系真宗史料　伝記編4　真宗浄瑠璃』法藏館、二〇〇九年
新全：『新編日本古典文学全集』小学館、一九九四～二〇〇二年
新大：『新日本古典文学大系』岩波書店、一九八九～二〇〇五年
叢書：『叢書江戸文庫』国書刊行会、一九八七～二〇〇二年
近松：『近松全集』岩波書店、一九八五～一九九四年
半二：『日本古典全書　近松半二集』朝日新聞社、一九四九年
文流：『錦文流全集』古典文庫、一九八八～一九九一年
未戯：『未翻刻戯曲集』国立劇場、一九六七年～
近世篇：『義太夫年表　近世篇』八木書店、一九七九～一九九〇年
未翻刻：『義太夫節浄瑠璃未翻刻作品集成』玉川大学出版部、二〇〇六年～

年	月	座	外題	翻刻	備考
享保1	1	豊	八幡太郎東初梅	海音⑥	
	1頃	豊	鎌倉三代記	海音④	
	夏頃	豊	新板兵庫築島	海音④	
2	春	豊	傾城国性爺	海音③	
	2	竹	国性爺後日合戦	近松⑩	
	8	竹	鑓の権三重帷子	近松⑩	
	9	豊	照日前都姿	×	
	10以前	豊	八百屋お七	海音③	
	10	喜	八百屋お七恋緋桜	▼	*江戸
	11	竹	聖徳太子絵伝記	近松⑩	
3	1	竹	山崎与次兵衛寿の門松	近松⑩	
	2	竹	日本振袖始	近松⑩	
	3	喜	八百屋お七恋緋桜付り後日	▼	*江戸
	7	竹	曽我会稽山	近松⑩	
	8	豊	傾城吉原雀	×	
	10	竹	日蓮上人記	×	
	10	竹	傾城酒呑童子	近松⑩	
	11以前	豊	山椒太夫葭原雀	海音④	
	11	豊	今様賢女手習鑑	×	
	11	竹	博多小女郎波枕	近松⑩	
	12	竹	善光寺御堂供養	近松⑭	
4	1	豊	義経新高館	海音④	
	2	竹	本朝三国志	近松⑪	
	5	豊	神功皇后三韓責	海音⑤	
	8	豊	頼光新跡目論	海音⑤	
	8	竹	平家女護島	近松⑪	
	8	辰	八百屋お七江戸紫	▼	
	10	豊	業平昔物語	▽	『河内通』加賀④の改題
	11	竹	傾城島原蛙合戦	近松⑪	
	この年	豊	笠屋三勝二十五年忌	×	『二十五年忌』海音⑥の別本
	この年	喜	熊野権現烏午王	文流㊦	*大坂曽根崎芝居
	この年	喜	竜宮東門阿波鳴戸	×	*大坂曽根崎芝居
5	1	豊	鎮西八郎唐土船	海音⑤	
	3	竹	井筒業平河内通	近松⑪	
	8	竹	双生隅田川	近松⑪	

	9	豊	日本傾城始	海音⑤	
	11	竹	日本武尊吾妻鑑	近松⑪	
	12	竹	心中天の網島	近松⑪	
	この年	竹	河内国姥火	▲	未翻刻二⑬
6	1	豊	三輪丹前能	海音⑤	
	2	竹	津国女夫池	近松⑫	
	5	豊	伏見常盤昔物語	×	
	7	竹	女殺油地獄	近松⑫	
	閏7	豊	呉越軍談	海音⑥	
	8	竹	信州川中島合戦	近松⑫	
	10	豊	富仁親王嵯峨錦	海音⑥	
7	1	竹	唐船噺今国性爺	近松⑫	
	1	豊	大友皇子玉座靴	海音⑥	
	1	辰	重井筒難波染	▽	『心中重井筒』近松⑤の改題 近世篇〈補訂篇〉参照
	3	竹	浦島年代記	近松⑫	
	4	豊	心中二ツ腹帯	海音⑥	
	4	竹	心中宵庚申	近松⑫	
	6	辰	心中二つ腹帯	▽	『心中二ツ腹帯』海音⑥の改題

	9	竹	仏御前扇車	近松⑭	
	11	豊	東山殿室町合戦	海音⑦	
	顔見世	豊	坂上田村麿	海音⑥	近世篇参照
8	1	豊	玄宗皇帝蓬莱鶴	海音⑦	
	1	未	花毛氈二つ腹帯	×	＊江戸『心中二ツ腹帯』海音⑥の改題
	2	竹	大塔宮曦鎧	近松⑭	
	5	豊	記録曽我玉笄髷	▼	未翻刻二⑭
	7	豊	井筒屋源六恋寒晒	一風④	
	7	豊	傾城無間鐘	海音⑦	
	11	豊	建仁寺供養	一風④	
	11	竹	桜町昔名花	×	
9	1	竹	関八州繋馬	近松⑫	
	2	豊	頼政追善芝	一風④	
	7	竹	諸葛孔明鼎軍談	叢書⑨	
	10	豊	女蝉丸	一風⑤	
	11	竹	右大将鎌倉実記	▲	未翻刻一⑪
10	1	豊	昔米万石通	一風⑤	
	3	豊	南北軍問答	一風⑤	
	5	豊	身替弬張月	一風⑤	

年	月	座	外題	区分	備考
	5	竹	出世握虎稚物語	▲	未翻刻一①
	6	竹	復鳥羽恋塚	▽	『一心五戒魂』義浄㊤の改題
	9	竹	大内裏大友真鳥	叢書⑨	
	10	豊	大仏殿万代石楚	一風⑤	
11	2	豊	曽我錦几帳	▼	未翻刻二⑮
	4	豊	北条時頼記	一風⑥	
	9	竹	伊勢平氏年々鑑	▲	未翻刻一④
12	1以前	外	頼政追善芝	▽	『頼政追善芝』一風④の江戸上演
	1	竹	敵討御未刻太鼓	▲	未翻刻二⑯
	2	豊	清和源氏十五段	▼	未翻刻一⑥
	4	竹	七小町	叢書⑨	
	8	竹	三荘太夫五人嬢	叢書⑨	
	8	豊	摂津国長柄人柱	叢書⑩	
13	2	豊	尊氏将軍二代鑑	▼	未翻刻一⑤
	3	竹	工藤左衛門富士日記	▲	未翻刻一③
	5	豊	南都十三鐘	▼	未翻刻二⑰
	5	竹	加賀国篠原合戦	叢書⑨	

年	月	座	外題	区分	備考
	この頃	豊	頼政扇の芝	▽	『頼政追善芝』一風④の改題
14	1	豊	後三年奥州軍記	叢書⑩	
	2	竹	尼御台由比浜出	▼	未翻刻三㉓
	6	竹	新板大塔宮	×	『大塔宮曦鎧』近松⑭の改題
	8	竹	眉間尺象貢	▲	未翻刻五㊸
	9	豊	藤原秀郷俵系図	▼	未翻刻一②
	11	竹	京土産名所井筒	▼	未翻刻一⑦
15	1	豊	蒲冠者藤戸合戦	▼	未翻刻三㉔
	2以前	竹	梅屋渋浮名色揚	▼	未翻刻二⑱
	2	竹	三浦大助紅梅靮	叢書㊳	
	5	豊	本朝檀特山	▲	未翻刻三㉕
	8	竹	信州姨拾山	▲	未翻刻一⑧
	8	豊	楠正成軍法実録	▼	未翻刻二⑲
	11	竹	須磨都源平躑躅	▲	未翻刻一⑩
16	1	豊	源家七代集	▼	未翻刻二⑳
	4	豊	和泉国浮名溜池	▼	未翻刻二㉑
	6	豊	酒呑童子枕言葉	×	『酒呑童子枕言葉』近松⑥の豊竹座上演
	9	竹	鬼一法眼三略巻	▲	未翻刻一⑨

	9以前	豊	殺生石	海音④	
	9以前	豊	忠臣青砥刀	海音⑦	
	9以前	豊	本朝五翠殿	海音④	
	9以前	豊	浄瑠璃古今序	海音④	
	9以前	豊	金平法問諍 忠臣身替物語	▽	『今様かしは木忠臣身替物語』義浄㊤の改題
	10	豊	赤沢山伊東伝記	▼	未翻刻一⑫
17	4	豊	八百屋お七恋緋桜	▽	『八百屋お七』海音③の改題
	4	竹	増補用明天王	▼	未翻刻七(72)
	5	豊	今様傾城反魂香	▼	未翻刻八(73)
	6	竹	伊達染手綱	▽	『丹波与作待夜のこむろぶし』近松⑤の改題
	9	竹	壇浦兜軍記	旧全㊺	
	9	豊	待賢門夜軍	▼	未翻刻四㉝
	10	豊	忠臣金短冊	叢書⑩	
	12	出	前内裏島王城遷	▼	未翻刻七(63)
18	2	豊	お初天神記	▽	『曽根崎心中十三年忌』海音⑦の改題
	4	竹	車還合戦桜	▲	未翻刻三㉖
	4	豊	鎌倉比事青砥銭	▲	未翻刻二㉒
	6	竹	景事揃	×	
	7	竹	重井筒容鏡	▽	『心中重井筒』近松⑤の改題
	7	豊	莠伶人吾妻雛形	▼	未翻刻五㊹
19	2	竹	応神天皇八白幡	叢書㊳	
	5以前	辰	伊勢平氏年々鑑	▽	『伊勢平氏年々鑑』未翻刻④の江戸上演
	5以前	辰	傾情山姥都歳玉	▼	未翻刻六(53)
	5以前	辰	西行法師墨染桜	▽	『西行法師墨染桜』文流㊤の江戸上演
	6	豊	曽我昔見台	▼	未翻刻三㉗
	8	豊	那須与一西海硯	叢書⑪	
	10以前	未	契情我立杣	▼	＊江戸 未翻刻八(74)
	10	竹	芦屋道満大内鑑	新大(93)	
20	1	竹	元日金歳越	▲	未翻刻三㉘
	2	豊	南蛮鉄後藤目貫	×	写本（八種）が伝存 叢書⑪底本は演博本『南蛮銅後藤目貫』
	5	豊	万屋助六二代裃	▲	未翻刻三㉙
	8	豊	苅萱桑門築紫𨏍	▲	未翻刻四㉞

年	月	座	外題	翻刻	備考
	9	竹	甲賀三郎窟物語	叢書㊳	
元文1	2	竹	赤松円心緑陣幕	▼	未翻刻五㊺
	2	竹	天神記冥加の松	×	
	3	豊	和田合戦女舞鶴	叢書⑪	
	5	竹	十二段長生島台	×	
	5	竹	敵討襤褸錦	▲	未翻刻六(54)
	10	竹	猿丸太夫鹿巻毫	叢書㊳	
	この頃	未	今様東二色	▼	＊江戸 未翻刻四㉟
2	1	豊	安倍宗任松浦簦	▲	未翻刻五㊻
	1	竹	御所桜堀川夜討	叢書㊳	
	1	竹	菅丞相冥加松梅	×	『浄瑠璃本史研究』参照
	7	豊	釜渕双級巴	▲	未翻刻四㊱
	10	竹	太政入道兵庫岬	▼	未翻刻五㊼
3	1	竹	行平磯馴松	叢書㊳	
	4	豊	丹生山田青海剣	▲	未翻刻四㊲
	8	竹	小栗判官車街道	叢書㊵	
	10	豊	茜染野中の隠井	▲	未翻刻六(56)
4	2	豊	奥州秀衡有鬠壻	未戯③	
	4	竹	ひらかな盛衰記	旧大(51)	未翻刻八(75)
	8	豊	狭夜衣鴛鴦剣翅	新大(93)	
5	2	豊	鶊山姫舎松	叢書⑪	
	4	豊	本田義光日本鑑	▲	未翻刻五㊽
	4	竹	今川本領猫魔館	▲	未翻刻八(76)
	7	竹	将門冠合戦	▲	未翻刻七(64)
	9	豊	武烈天皇艤	▲	
	11	竹	追善百日曽我	×	
	11	竹	恋八卦柱暦	▽	『大経師昔暦』近松⑨の改題（戦前に翻刻）
寛保1	1	竹	伊豆院宣源氏鏡	▲	未翻刻七(65)
	3	豊	本朝斑女簦	▼	
	5	竹	新うすゆき物語	新大(93)	
	5	豊	青梅撰食盛	▼	未翻刻八(82)
	7	豊	播州皿屋舗	叢書⑪	
	9	豊	田村麿鈴鹿合戦	▼	未翻刻四㊳
2	2	竹	花衣いろは縁起	▼	未翻刻四㊴
	3	豊	百合稚高麗軍記	▼	未翻刻四㊵
	3	肥	石橋山鎧襲	▼	未翻刻四㊶
	4	竹	室町千畳敷	▽	『津国女夫池』近松⑫の改題（戦前に翻刻）

年	月	座	外題		備考
	7	竹	男作五雁金	叢書㊵	
	8	豊	道成寺現在蛇鱗	叢書㊲	
	9	豊	鎌倉大系図	▼	未翻刻五㊾
3	3	豊	風俗太平記	▼	
	4	竹	入鹿大臣皇都諍	▼	未翻刻六(56)
	5	竹	丹州爺打栗	▼	未翻刻三㉚
	8	豊	久米仙人吉野桜	叢書㊲	
延享1	3	竹	児源氏道中軍記	▼	未翻刻六(57)
	3	肥	**義経新含状**	▲	未翻刻八(77) 改題本『後藤伊達瞶』が戦前に翻刻
	4	豊	潤色江戸紫	▲	
	9	豊	柿本紀僧正旭車	▼	未翻刻七(66)
	11	竹	ひらかな盛衰記	▽	近世篇参照
	11	竹	八曲筐掛絵	▼	未翻刻七(72)
	12	豊	遊君衣紋鑑	▼	未翻刻六(58)
2	1	明	三軍桔梗原	▼	
	2	竹	軍法富士見西行	叢書㊵	
	2	豊	詩近江八景	▼	未翻刻八(78)
	3	未	萬葉女阿漕	×	写本（一種）が伝存 未翻刻七(67)

年	月	座	外題		備考
	4	明	延喜帝秘曲琵琶	▼	
	5	豊	増補大仏殿鮲礎	▼	未翻刻六(59)
	7	竹	夏祭浪花鑑	旧大(51)	
	8	豊	浦島太郎倭物語	▼	未翻刻八(79)
	閏12	陸	唐金茂衛門東鬘	▼	
3	1	竹	楠昔噺	叢書㊵	
	5	竹	追善仏御前	×	『仏御前扇車』近松⑭の改題
	5	竹	追善重井筒	▽	『心中重井筒』近松⑤の改題
	5	豊	酒呑童子出生記	▼	未翻刻五㊿
	7以前	竹	博田小女郎思洑	▽	『博多小女郎波枕』近松⑩の改題
	8	陸	歌枕棣棠花合戦	▼	未翻刻七(68)
	8	竹	菅原伝授手習鑑	旧全㊼	
	10	陸	女舞剣紅楓	▼	未翻刻六(60)
	11	豊	花筏巌流島	▼	未翻刻八(80)
4	2	豊	裙重紅梅服	▼	
	2	陸	鎮西八郎射往来	▼	
	2以降	陸	氷室地大内軍記	×	
	3	豊	万戸将軍唐日記	▼	

	7	豊	悪源太平治合戦	▼	
	8	竹	傾城枕軍談	▼	未翻刻三㉛
	10	肥	いろは日蓮記	▼	未翻刻四㊷
	11	竹	義経千本桜	新大(93)	
寛延1	1	豊	容競出入湊	未戯⑫	
	7	豊	東鑑御狩巻	▼	未翻刻七(69)
	8	竹	仮名手本忠臣蔵	新全(77)	
	9	宇	住吉誕生石	▼	
	11	豊	摂州渡辺橋供養	叢書㊲	
2	3	豊	八重霞浪花浜荻	浄翻①	
	4	竹	粟島譜嫁入雛形	▼	未翻刻五(51)
	7	辰	粟島譜利生雛形	×	『粟島譜嫁入雛形』未翻刻(51)の改題
	7	豊	華和讃新羅源氏	真宗	
	7	豊	なには五節句操大踊	×	
	7	竹	双蝶蝶曲輪日記	新全(77)	
	10	肥	日蓮記児硯	▽	『いろは日蓮記』未翻刻㊷の改題
	11	豊	物ぐさ太郎	▼	未翻刻五(52)
	11	竹	源平布引滝	旧大(52)	未翻刻八(81)
3	3	豊	手向八重桜	浄翻①	
	6	豊	夏楓連理枕	▼	
	8	肥	新板累物語	▼	未翻刻六(61)
	8頃	豊	傾城買指南	▼	未翻刻八(82)『浄瑠璃本史研究』参照
	11	竹	文武世継梅	▼	未翻刻六(62)
宝暦1	1	豊	玉藻前曦袂	▼	未翻刻七(70)
	2	竹	恋女房染分手綱	▼	未翻刻七(71)
	4	豊	浪花文章夕霧塚	▼	
	7	竹	仕合丸浪花入船	×	
	7	豊	頼政扇子芝	▽	『頼政追善芝』一風④の改題
	8	肥	八幡太郎東海硯	▼	
	10	豊	日蓮聖人御法海	未戯⑩	
	10	竹	役行者大峰桜	叢書⑭	
	12	豊	一谷嫩軍記	▲	未翻刻三㉜
	この頃	肥	親鸞聖人絵伝記	×	
2	2	竹	名筆傾城鑑	▼	
	5	竹	世話言漢楚軍談	▼	
	7	肥	太平記枕言	▼	

年	月	座	外題	印	備考
	11	竹	伊達錦五十四郡	▼	
	12	豊	倭仮名在原系図	▼	
3	5	竹	愛護稚名歌勝鬨	叢書⑭	
	7	豊	雄結勘助島	▼	
4	1	竹	菖蒲前操弦	▲	
	2	豊	相馬太郎孛文談	▼	
	4	竹	小袖組貫練門平	▼	
	7	豊	義経腰越状	▼	
	10以前	竹	太平記曦鎧	▽	＊京『大塔宮曦鎧』近松⑭の改題
	10	竹	小野道風青柳硯	叢書⑭	
	10頃	竹	恋女房染分手綱	▽	＊京
	12	豊	天智天皇苅穂庵	▼	
5	4	豊	三国小女郎曙桜	▼	
	6	竹	庭涼座鋪操	▼	
	7	豊	双扇長柄松	▼	
	7	竹	庭涼操座鋪	▼	
	11	竹	拍子扇浄瑠璃合	▼	
	11	竹	年忘座鋪操	▼	
6	2	竹	崇徳院讃岐伝記	▼	

年	月	座	外題	印	備考
	3	豊	義仲勲功記	▼	
	5	竹	業平男今様井筒	▽	＊京『京土産名所井筒』未翻刻⑦の改題
	10	竹	平惟茂凱陣紅葉	▼	
	閏10	豊	甲斐源氏桜軍配	▼	
	この年	豊	和田合戦女舞鶴	▽	近世篇参照
7	1	豊	写倆足利染	▼	
	2	竹	姫小松子の日遊	▼	
	3	豊	前九年奥州合戦	▼	
	7	肥	泉三郎伊達目貫	▼	
	9	竹	薩摩歌妓鑑	▼	
	12	豊	祇園祭礼信仰記	叢書㊲	
	12	竹	昔男春日野小町	▼	
8	3	竹	敵討崇禅寺馬場	▼	
	8	肥	聖徳太子職人鑑	▼	
	8	竹	蛭小島武勇問答	▼	
9	2	竹	日高川入相花王	未戯⑦	
	3	豊	芽源氏鶯塚	▼	
	5	豊	難波丸金鶏	▲	
	9	竹	太平記菊水之巻	叢書⑭	

年	月	座	外題	印	備考
	10	竹	楠正行軍略之巻	×	＊京『太平記菊水之巻』叢書⑭の改題
	12	豊	先陣浮洲巌	▼	
10	3	豊	桜姫賤姫桜	▼	
	7	竹	極彩色娘扇	▼	
	11	竹	年忘座舗操	×	＊大坂曽根崎新地芝居
	12	豊	祇園女御九重錦	叢書㊲	
11	1以前	竹	浪花土産年玉操	×	＊京
	1	竹	安倍清明倭言葉	▼	
	3	豊	八重霞浪花浜荻	▽	＊大坂曽根崎新地芝居 近世篇参照
	5	竹	由良湊千軒長者	▼	
	5	豊	曽根崎模様	▼	＊大坂曽根崎新地芝居
	9	豊	人丸万歳台	▼	
	9頃	豊	下総国累蟲	×	近世篇〈補訂篇〉参照
	10	竹	冬籠難波梅	×	
	11	竹	古戦場鐘懸の松	▼	
12	2	豊	三好長慶碪軍談	▼	
	3	竹	花系図都鑑	▼	
	閏4	豊	岸姫松轡鑑	▼	

年	月	座	外題	印	備考
	6	竹	夏景色浄瑠璃合	×	
	夏	未	忠臣五枚兜	×	写本（一種）が伝存『浄瑠璃本史研究』参照
	9	竹	奥州安達原	半二	
13	3	豊	洛陽瓢念仏	▼	
	4	竹	山城の国畜生塚	叢書⑭	
	4	竹	天竺徳兵衛郷鏡	未戯⑤	
	4	豊	新舞台咲分牡丹	▼	
	7	豊	新舞台扇子錦木	▼	『浄瑠璃本史研究』参照
	8	竹	御前懸浄瑠璃相撲	×	
	12	豊	馬場忠太紅梅箙	▼	
	宝暦年中	竹	あづま摂恋山崎	×	
	宝暦年中	竹	天神記恵松	▽	『天神記』近松⑧の改題
	宝暦末頃	未	鉦石川五右衛門	×	＊京『浄瑠璃本史研究』参照
明和1	1	土	吉野合戦名香兜	▼	
	1	北	須磨内裏掤弓勢	▼	
	1	竹	傾城阿古屋の松	▼	
	3	外	増補姫小松子日の遊四段目	▼	『浄瑠璃本史研究』参照
	4	豊	官軍一統志	▼	

4	肥	祇園祭金閣寺小袖之鏡	×	
4	竹	京羽二重娘気質	▲	
夏	肥	乱菊枕慈童	×	『浄瑠璃本史研究』参照
7	竹	敵討稚物語	▲	
8	外	明月名残の見台	×	
8	扇	増補女舞剣紅葉	▼	
9	外	菊重蘓月見	×	
10	豊	嬢景清八島日記	▼	近世篇参照
11	豊	二ツ腹帯	▽	近世篇〈補訂篇〉参照
11	竹	江戸桜愛敬曽我	×	
12	竹	冬桜咲分錦	×	近世篇〈補訂篇〉参照
12	豊	いろは歌義臣鍪	▲	

（義太夫節正本刊行会）

［付記］翻刻の会（同志社大学）による翻刻一覧

享保13　尊氏将軍二代鑑　『同志社国文学』五七・六〇・六二
元文5　武烈天皇艤　『同志社国文学』六四・六六
寛保1　本朝斑女箋　『同志社国文学』四〇
寛保3　風俗太平記　『同志社国文学』三七
延享1　潤色江戸紫　『同志社国文学』九二・九三
延享4　悪源太平治合戦　『同志社国文学』七〇・七五
宝暦2　名筆傾城鑑　『同志社国文学』四五・四六
宝暦8　聖徳太子職人鑑　『同志社国文学』九六・九八
宝暦11　曽根崎模様　『同志社国文学』四一・四三
明和5　よみ売三巴　『同志社国文学』八二
明和6　振袖天神記　『同志社国文学』八八・九〇
寛政9　会稽多賀誉　『同志社国文学』七四・七七

ぎだゆうぶししょうほんかんこうかい
義太夫節正本刊行会

飯島　満*	伊藤りさ	上野左絵	川口節子
黒石陽子	坂本清恵	桜井　弘	髙井詩穂
田草川みずき	富澤美智子	原田真澄	東　晴美
渕田裕介	森　貴志	山之内英明	

（＊は本巻担当者）

ぎだゆうぶしじょうるりみほんこくさくひんしゅうせい　だい　き
義太夫節浄瑠璃未翻刻作品集成（第８期）⑰
よしつねしんふくみじょう
義経新含状

2025年2月25日　初版第1刷発行

編者 ——— 義太夫節正本刊行会
発行者 ——— 小原芳明
発行所 ——— 玉川大学出版部
〒194-8610 東京都町田市玉川学園6-1-1
TEL 042-739-8935　FAX 042-739-8940
http://www.tamagawa.jp/up/
振替 00180-7-26665
装丁 ——— 松田洋一（原案）・しまうまデザイン
印刷・製本 ——— 創栄図書印刷株式会社

乱丁・落丁本はお取り替えいたします。

ISBN978-4-472-01699-8 C1091 / NDC912